保育士等キャリアアップ研修テキスト 4

食育・アレルギー対応

第3版

監修 秋田喜代美・馬場耕一郎
編集 今井孝成・堤ちはる

中央法規

監修のことば

　本テキストは、平成 29 年 4 月に厚生労働省から出された通知「保育士等キャリアアップ研修の実施について」（平成 29 年 4 月 1 日雇児保発 0401 第 1 号）により保育士等キャリアアップ研修を実施していただくにあたり、そのガイドラインの理念や考え方に基づき作成されたテキストになります。平成 28 年 12 月に保育士のキャリアパスに係る研修体系等の構築に関する調査研究協力者会議から出された「調査研究協力者会議における議論の最終取りまとめ：保育士のキャリアパスに係る研修体系等の構築について」にその考え方は書かれています。

　キャリアアップ研修のねらいは、保育士等がキャリアパスを見通し、保育所においてリーダー的職員を育成することにあります。つまり、保育所においてすでに一定以上の実践経験をおもちで、ミドルリーダーやリーダーとしての意識をもち、保育所の保育の質向上、職員の資質向上のキーパーソンとなる方、なろうとする方のための研修になります。したがって、テキストにおいても、これから保育士になっていかれる養成校でのテキストとは差別化を図っています。

　第一には、基礎的な知識を伝達しスキルを習得することで、現場に行って教えてもらえばできるという段階の基礎知識のテキストではなく、そのような基本的な考え方や概念をもとにしながらも、「最新の動向を知る」ことや、基本の上により深くその知識を自園の実践とつなげて意味づけ考えることができるためのテキストを企画段階で目指したものであるということです。保育士等の専門性は、多様な事例を知ることによって、判断に基づく行動ができることにあります。したがって、その「事例知識」を各園の実情を踏まえて共有できるテキストにするということが求められます。

　第二には、ミドルリーダーは、自分で実践ができるというだけではなく、これまでの経験を踏まえて「この分野なら私が専門的にわかる」という得意や専門分野をもち、責任をもってほかの保育士等を指導・助言できたり、組織、園全体をリードできるための実践的知識を伝えられるようにするということがあります。「議論の最終取りまとめ」においても「研修の実施にあたっては、講義形式のほか、演習やグループ討議等を組み合わせることにより、より円滑かつ主体的に受講者が知識や技能を修得できる。効果的な演習やグループ討議を行うため、各園の創意工夫や課題を持ち寄って、自園の保育内容と関連付けた研修内容とすること等が考えられる」と述べられています。つまり、自らの経験をなんとな

くわかっているだけではなく、説明できたり、そのポイントを意識化し言語化できることが大事になっています。

　そこで、本テキストは、皆さんの経験や知識を書き込むことで完成するマイ・テキスト、各園の実情と研修を一緒に受けた人たちとの事例をもとにして初めてできあがる私たちの（Our）テキストという、ワークブック的な演習課題を入れたテキストとなっています。皆さんが受講した研修の軌跡を通して語り合ったり考えたことの道筋をたどり、完成させ創り出すものとなっています。同時に、この考え方や知識だけは核にしながら考えてほしいということだけが記載されています。それに肉づけをするのは、研修に参加する皆さんとその場での講師の自律性にゆだねられる余地をつくっています。

　第三には、本分野の研修を受けた後で振り返ったときに、こんなことを学んだよと自身の所属する保育所に持ち帰っていただくと同時に、ほかの保育士等とともに振り返ることができる、対話のきっかけとなる研修のアイデアになることも、テキストのなかに書き込まれることを願っています。

　現在、「主体的・対話的で深い学び」が子どもたちに求められていますが、それは保育士自身も経験することが大切です。マイ・テキストとなったテキストを持ち帰り、それが一つのきっかけになって園内研修の一つの窓になる、自園だけではなく、他園から学ぶ事例もあるということが可能になるように企画をしました。

　ですから、研修に参加して終わりではなく、学んだことが保育所で実際に共有され活かされることで、保育の質のさらなる向上が図られることを願っています。どの保育所でも、現状認識の把握から始まり、当該分野に関してよりよい知恵を皆が共有でき、保育所において次のよりよい保育を創ろうとすることが、真にミドルリーダーがミドルリーダーとしてのはたらきをすることにつながると考えます。

　本テキストは、皆さんが主人公、そして出会った講師や研修をともに受ける人との得がたい経験が埋まって初めてつくられるテキストです。教科書というイメージとは異なりますが、誰もがどこでも使えることで、保育所の学びの軌跡となることを、監修者として願っています。

秋田喜代美

馬場耕一郎

はじめに

　本テキストでは、この保育所における「食育」と「アレルギー対応」に関して、保育所のミドルリーダーとなる先生方に身につけていただきたい事項を概説しています。また、このたびは第3版として、主に2021（令和3）年に策定された「第4次食育推進基本計画」を踏まえて改訂を行いました。

　保育所における食育の実践では、保育所保育指針に「食育計画を全体的な計画に基づいて作成し」と示されるとおり、"保育の一環としての食育実践"が強調されています。日々の生活（保育）のなかでの食育の実現のため、先生方が食育の担当者としての自覚をもち、適切な食生活を営むことが求められています。また、子どもたちへの食育実践においては、保育所の先生方が日頃から栄養・食生活に興味をもち、「食を楽しむ」ことが重要です。

　そこで「食育」について述べる第1章、第2章、第3章では、先生方が自らの食生活について、今まで以上に興味・関心をもっていただけるような視点を意識しながら、栄養の基礎知識や食育計画の作成と活用、保育所における食事の提供ガイドラインなど、子どもの食を考えるうえで押さえておきたい点を解説しています。

　一方、保育所に通うアレルギーをもつ子どもたちが安全で安心な保育所生活を送ることができるようにするために、先生方が「アレルギー対応」を学ぶ意義はあらためて述べるまでもありません。「アレルギー対応」に関する第4章では、保育所でよくみるアレルギー疾患のうち気管支喘息とアトピー性皮膚炎、そして食物アレルギーに関する病態や特徴など基本的な病気の理解を進めます。また第5章では、食物アレルギーに関して保育所における具体的な予防対策や事故対策を学びます。巻末の資料にはロールプレイングを用意し、実際に体を動かすことで事故発生時の対策が充実するように工夫しています。

　本研修が終わった後も、先生方が保育所における「食育」と「アレルギー対応」の要として活躍できるようになるためには、たゆまぬ研鑽が欠かせません。子どもたちの健康な心と体を育てたり、子どもたちを支援する先生方の心身の健康の保持・増進につなげたりする栄養・食生活のガイドとして、あるいは現場のアレルギー対策の手引書として、本書を手元に置いて折にふれて開き、役立てていただければ幸いです。

　本研修を修了した先生方が、保育所内で仲間の先生方を導き、また切磋琢磨している姿がみられることを期待しています。

今井孝成
堤ちはる

受講にあたって

■本書の使い方

　本書は「保育士等キャリアアップ研修の実施について」（平成 29 年 4 月 1 日雇児保発 0401 第
1 号）に定められた「保育士等キャリアアップ研修ガイドライン」の「分野別リーダー研修の内
容」に準拠しています。

表　分野別リーダー研修の内容

分野	ねらい	内容	具体的な研修内容（例）
食育・アレルギー対応	・　食育に関する理解を深め、適切に食育計画の作成と活用ができる力を養う。 ・　アレルギー対応に関する理解を深め、適切にアレルギー対応を行うことができる力を養う。 ・　他の保育士等に食育・アレルギー対応に関する適切な助言及び指導ができるよう、実践的な能力を身に付ける。	○栄養に関する基礎知識	・栄養の基本的概念と栄養素の種類と機能 ・食事摂取基準と献立作成・調理の基本 ・衛生管理の理解と対応
		○食育計画の作成と活用	・食育の理解と計画及び評価 ・食育のための環境（他職種との協働等） ・食生活指導及び食を通した保護者への支援 ・第三次食育推進基本計画
		○アレルギー疾患の理解	・アレルギー疾患の理解 ・食物アレルギーのある子どもへの対応
		○保育所における食事の提供ガイドライン	・保育所における食事の提供ガイドラインの理解 ・食事の提供における質の向上
		○保育所におけるアレルギー対応ガイドライン	・保育所におけるアレルギー対応ガイドラインの理解 ・アナフィラキシーショック（エピペンの使用方法を含む。）の理解と対応

　都道府県が実施主体となって行われる同研修での受講に使いやすいよう、各節の始まりと終わ
りには演習課題を設け、単なる知識の習得に終わらずに、学んだ内容を受講生が持ち帰り、ほか
の保育士等に説明・研修できることを目指しています。ですから、研修を受講して終わりではな
く、本テキストを「マイ・テキスト」として、園内研修等で活用してください。

- 現在の自分の知識や保育所の現状を把握します
- ほかの受講生の保育所との違いを認識します

- 視点や知識を習得します
- リーダーとしての立ち位置、協働の仕方を学びます

- 学んだことを振り返り、自分のものにします
- 持ち帰って園内研修等で活用する演習も一部含まれます

■開催者の準備

あると便利なもの

- ●ホワイトボード　●白紙、模造紙等（グループの数分）　●付箋（演習で使用）
- ●保育所保育指針（解説）　●マーカー

■研修に持参していただく資料

各章の演習では、研修当日に受講生に持参していただく資料があります。本巻については以下のとおりです。

章	持ち物	備考
第1章	保育所の献立表（直近1か月分程度）	
第2章	全体的な計画表	
	保育所の食育の目標が確認できるもの	上記計画表に記載があれば不要
	個人の離乳食の進め方の目安表	

■凡例

本書は原則的に、以下のとおり用語の統一をしています。

保育所、園、保育園➡保育所　　保育者、保育士、保育士等➡保育士等

保育士等キャリアアップ研修テキスト4　食育・アレルギー対応　第3版

‹‹‹CONTENTS ‹ ‹‹ ‹ ‹ ‹‹ ‹ ‹‹ ‹ ‹ ‹‹ ‹‹‹ ‹‹ ‹ ‹‹ ‹ ‹ ‹‹ ‹‹ ‹‹ ‹

栄養に関する基礎知識

第 **1** 節　栄養の基本的概念と
栄養素の種類と機能

この節のねらい

・栄養の基本的概念を理解する

・栄養素の種類と機能を理解する

演習 1　「栄養」という言葉からイメージできることを書き出してみましょう。

演習 2　自分が知っている栄養素の名前、はたらき、含まれている食品を書き出してみましょう。

演習 3　自分の体に不足していると思われる栄養素を書き出してみましょう。

メモ

栄養の基本的概念

　栄養とは身体の中で食物がどのように変換し利用されるかという過程のことをいいます。ヒトは食物を食事や間食（おやつ）として摂りますが、その食物が身体の成分に生まれ変わり、また身体の機能の維持・活動のエネルギー源になります。子どもはさらに成長のために新しく物質を合成しますので、そのためのエネルギーにもなります。また、生命を維持するための調整作用をする物質も元々は食物成分からつくられます。

　栄養素は五つに分けられます（表1-1）。食物中の三大栄養素は消化によって小分子となって小腸から吸収され、その後、生命維持、活動、体成分合成のエネルギー源となったり、ヒトの身体を構成するものにつくり変えられたりします。微量栄養素はそのまま吸収されて、骨格をつくったり、体の機能調節にはたらきます。

　五大栄養素のほかに、食物中には、主に色や香り、アクの成分であるファイトケミカル（20頁参照）や食物繊維などの有効成分が含まれています。ファイトケミカルには抗酸化作用をもつものが多く、食物繊維（表1-2）は炭水化物で

表 1-1　栄養素の種類

種類				作用
五大栄養素	三大栄養素	糖質		エネルギー供給源
		脂質		エネルギー供給源、（生体の構成成分）
		たんぱく質		生体の構成成分、（エネルギー供給源）
	微量栄養素	ミネラル（無機質）	多量ミネラル　微量ミネラル	生体の構成成分、生体機能の調節
		ビタミン	水溶性ビタミン　脂溶性ビタミン	生体機能の調節

メモ

表 1-2　食物繊維の種類

溶性	成分	主に含む食品	生理作用
不溶性	セルロース	大豆、ごぼう、小麦ふすま、穀類の外皮	糞便の量を増し、便通を改善　有害物質の排泄作用
	ヘミセルロース	小麦ふすま、大豆、穀類の外皮	
	プロトペクチン	未熟なりんご、野菜	
	リグニン	小麦ふすま、セロリ	
	キチン	カニやエビの殻、キノコ類	
	イヌリン	ニンジン、ごぼう、きくいも	
水溶性	ペクチン	りんご・みかん、野菜	血清コレステロールや血糖値の上昇抑制
	βグルカン	大麦、オーツ麦	
	コンニャクマンナン	こんにゃく	
	アルギン酸ナトリウム	こんぶ	
	アガロース、アガロペクチン	テングサ、オゴノリからできる寒天、ところてん	
	カラギーナン	紅藻類	

すがヒトの消化酵素では分解されず、エネルギーにはなりません。身体の調子を整えるはたらきをし、大腸にいる腸内細菌の餌となります。腸内細菌はヒトにビタミンや少しのエネルギーを補給し、また、食物繊維を餌にする細菌には有害な細菌の繁殖を抑える役割もあります。食物繊維は水溶性も不溶性も腸内細菌の餌となります。腸内細菌の死がいは便となって排泄されますので便量が増加します。このため、腸内細菌を増やすことが便秘の予防につながります。果物、野菜に加えて、玄米・胚芽米、麦や雑穀といった穀類や豆類など食物繊維が豊富な食品を小児期から食べ慣れることが大人になってからの健康維持に役立ちます。

メモ

三大栄養素

■糖質

糖質は炭水化物から食物繊維を除いたものをいい、エネルギー源（4 kcal/g）や体を構成する成分となります。最小単位は単糖類で、単糖類の結合数により性質が異なります（表1-3）。

表1-3　糖質の種類と含有食品および特徴

分類		種類	構成単糖	含有食品	特徴
単糖類		ぶどう糖（グルコース）		ぶどうなどの果物、はちみつ	・糖の最小単位で速やかに消化・吸収される ・血液中に血糖として一定量含む
		果糖（フルクトース）		果物、はちみつ	・糖類のなかで最も甘味が強い
		ガラクトース	ガラクトース	乳汁中の乳糖	・ガラクトースは乳児の脳の発達に必要
少糖類（オリゴ糖）	二糖類^注	しょ糖（砂糖）（スクロース）	グルコース＋フルクトース	砂糖きび、甜菜（砂糖大根）	・茎の搾り汁や根からしょ糖をつくる
		麦芽糖（マルトース）	グルコース＋グルコース	麦芽、水あめ	・唾液や膵臓のアミラーゼがでん粉に作用すると生ずる
		乳糖（ラクトース）	ガラクトース＋グルコース	乳汁	・乳児の重要なエネルギー源
多糖類		でん粉	グルコース	穀類、いも類、豆類	・ぶどう糖の結合の仕方で直鎖状のアミロースと枝分かれしたアミロペクチン（水を加えて加熱すると粘性を生じる）がある
		グリコーゲン	グルコース	かき（海産）	・ぶどう糖が多数結合したもの ・肝臓や筋肉中に貯蔵
		デキストリン	グルコース		・でん粉の加水分解で生じる。糊精

注：単糖類が2個結合したものを二糖類という。
出典：堤ちはる・土井正子編著『子育て・子育ちを支援する 子どもの食と栄養 第10版』萌文書林、37頁、2021年を一部改変

メモ

- -

- -

- -

- -

- -

脳や赤血球、神経系は血液中のブドウ糖（血糖）などをエネルギー源として利用するため血糖値の維持は重要で、その濃度は約 0.1％に保たれています。また、血糖値の上昇は満足感を生むため、毎食糖質を摂取することが心の安定にも役立ちます。

■脂質

脂質には中性脂肪、コレステロール、リン脂質などがあります。食物のなかに最も多く含まれる中性脂肪は単に脂肪とも呼ばれ、グリセロール 1 個と脂肪酸 3 個が結合したものです。効率のよいエネルギー源（9 kcal/g）や細胞膜の構成成分として利用され、体内で合成できない必須脂肪酸と脂溶性ビタミンの供給源にもなります。過剰に摂取した場合は、中性脂肪の形で皮下・腹内などに蓄えられ、脂肪組織となり、体温の放散を防ぐほか外的な衝撃から内臓を守るはたらきをします。

脂質を構成する脂肪酸は種類によって体に与える影響が異なります（表1-4）。

補足説明
1 g 当たりに含まれるエネルギーが、糖質・たんぱく質が4 kcal であるのに対し、脂質は 9 kcal である。

表 1-4 脂肪酸の種類

分類		脂肪酸名	多く含む食品
飽和脂肪酸		カプロン酸	バター、母乳、牛乳
		カプリル酸	ココナッツ油、母乳、牛乳
		パルミチン酸	牛肉、豚肉、パーム油、コーン油
		ステアリン酸	牛肉、豚肉、バター
一価不飽和脂肪酸（n–9系）		オレイン酸	オリーブ油、牛肉、豚肉
多価不飽和脂肪酸	n–6系	リノール酸	大豆油、コーン油、ごま油
		γリノレン酸	母乳、リノール酸の代謝物
		アラキドン酸	鶏卵、さば、ぶり、牛肉、豚肉
	n–3系	αリノレン酸	えごま油、アマニ油、くるみ、なたね油
		エイコサペンタエン酸（EPA）	いわし、まぐろ、さば、あじ
		ドコサヘキサエン酸（DHA）	さけ、さば、さんま、ぶり

メモ

6

飽和脂肪酸は血中のコレステロール値やLDL（悪玉）コレステロール値を上昇させるはたらきがあるので、多量に摂ると心筋梗塞や脳梗塞といった循環器疾患を発症しやすくなります。それに対し、多価不飽和脂肪酸（n-6系、n-3系）は循環器疾患を予防するはたらきをもつといわれています。一価不飽和脂肪酸も多価不飽和脂肪酸の作用に近いとされています。飽和脂肪酸を多く含む食べ物を、不飽和脂肪酸を多く含む食べ物に置き換えると、血中コレステロール値の上昇が抑えられることから、循環器疾患を予防することができます。しかし、不飽和脂肪酸を多く含む食べ物も過剰に食べるとエネルギーの摂り過ぎから肥満につながり、循環器疾患にかかりやすくなることになります。このため、小児から、飽和脂肪酸の多い肉類ではなく、不飽和脂肪酸を多く含む魚類や大豆製品をバランスよく摂る食習慣を身につけることが、大人になってからの疾病予防につながります。また、育児用ミルク（乳児用調製粉乳・液状乳）には不飽和脂肪酸であるアラキドン酸やDHAを添加しているものがあります。これは母乳の組成に近づける工夫ですが、アラキドン酸やDHAは脳に多く含まれ、神経細胞の材料となります。

■たんぱく質

たんぱく質は筋肉や臓器、毛髪、爪のケラチン、腱、骨のコラーゲンといった身体の大部分の構成材料になるほか、酵素、ホルモン、抗体の材料にもなっています。体内の浸透圧を調整する作用をもち、エネルギー源（4 kcal/g）にもなります。たんぱく質は20種類のアミノ酸で構成されており、このうち体ではつくることができず食べ物として摂取する必要のある必須アミノ酸は9種類あります（表1-5）。

効率よく体の構成材料として利用できるものを「質のよいたんぱく質」と評しますが、これは**アミノ酸価**で表されます（表1-6、図1-1）。アミノ酸価が100に満たない食品はそれだけでは必須アミノ酸を摂取しきれないため、不足分をほかの食品などで補う必要があります。

補足説明
食物たんぱく質は糖質や脂質の摂取量が少ないときに体のたんぱく質を合成するよりもエネルギー源として優先的に利用される。

用語
アミノ酸価
体に必要な必須アミノ酸に対してその食品の最も不足している必須アミノ酸（第1制限アミノ酸）の割合を示したもの。

メモ

表1-5　アミノ酸の分類

必須アミノ酸	非必須アミノ酸
ヒスチジン	アルギニン注
イソロイシン	グリシン
ロイシン	アラニン
リジン	セリン
メチオニン	チロシン
バリン	システイン
フェニルアラニン	アスパラギン
スレオニン	グルタミン
トリプトファン	プロリン
	アスパラギン酸
	グルタミン酸

注：アルギニンは小児の体内では十分に合成できない
　　ため、必須アミノ酸となる。

表1-6　食品のアミノ酸価

植物性食品	アミノ酸価	動物性食品	アミノ酸価
米（精白米）	61	牛肉	100
小麦（強力粉）	36	豚肉	100
とうもろこし	31	鶏肉	100
じゃがいも	73	鶏卵	100
にんじん	59	牛乳	100
ほうれん草	64	母乳	100
バナナ	64	あじ	100
あずき	91	さけ	100
大豆	100	まぐろ	100

微量栄養素

■ミネラル

　ミネラルは無機質ともいい、約60種類ある人体構成元素の95％を占める4大元素（炭素、酸素、水素、窒素）以外の元素のことを指します。体の構成材料や酵素の成分になり、細胞の浸透圧の調整や神経や筋肉収縮の情報伝達媒体として作用します（表1-7）。

■ビタミン

　ビタミンは体の調子を整えるのに欠かすことのできない栄養素です。13種類あり、体の中でのはたらきは種類によって異なります。必要な量は少ないですが、

メモ

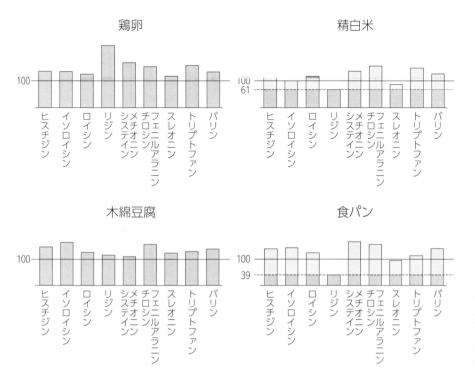

図 1-1　食品のアミノ酸価

ヒトの体の中でつくることができなかったり、つくられても量が十分ではなかったりするので、食べ物から摂取する必要があります（表1-8）。このなかで、ビタミンDは魚やきのこといった食物から補給されるだけではなく、日光を浴びることによっても自分の体でつくることができますので、屋外で散歩したり日光浴をする習慣も大事です。

■補足説明▶

必須アミノ酸の理想のバランスを100としたとき、鶏卵はすべての種類が100を超えている（制限アミノ酸がない）ため、アミノ酸価は100となる。一方、精白米は最も充足率の低いリジンのスコアが61であるため、精白米のアミノ酸価も61となる。

メモ

表 1-7　ミネラル

	ミネラル	はたらき	多く含む食品	欠乏症	過剰症
多量	カルシウム Ca	骨や歯の成分、細胞内情報伝達、筋肉の収縮、神経興奮の抑制、血液凝固の促進	牛乳、こまつな、干しひじき、干しえび	くる病（子ども）、骨軟化症（成人）、骨粗鬆症、動脈硬化	高カルシウム血症、軟組織の石灰化、尿路結石、鉄や亜鉛の吸収障害、便秘
	マグネシウム Mg	骨や歯の成分、酵素作用、筋肉の収縮、遺伝子の発現を助ける	そば、干しひじき、ほうれん草、糸ひき納豆	吐き気、嘔吐、眠気、脱力感、筋肉の痙攣、食欲不振	下痢
	リン P	骨や歯の成分、ATP の成分	そば、牛乳、豚もも赤肉、冷凍ピラフ、インスタントラーメン	（不明）	（骨密度の低下、カルシウム吸収の抑制）
	ナトリウム Na	体内水分の調節、浸透圧や pH の維持	カップ麺、梅干し、うるめいわし丸干し	（腎機能が正常ならばなし）	（高血圧、胃がんリスクの上昇）
	カリウム K	浸透圧や pH の維持、筋肉の収縮	ほうれん草、さつまいも、バナナ、牛乳	（ナトリウム排泄量の減少）	（腎機能が正常ならばなし）
微量	鉄 Fe	ヘモグロビンとして酸素の運搬、ミオグロビンとして筋肉中で酸素を蓄える	アサリ水煮、レバー、卵黄、小松菜、牛もも赤肉、納豆、いわし、かつお、ココア	貧血、運動機能や認知機能の低下、無力感、食欲不振	鉄沈着症、慢性疾患の増加、便秘
	亜鉛 Zn	酵素作用を助ける、たんぱく質や DNA の合成に必要、味覚	かき(海産)、牛もも赤肉、ナッツ、しらす干し、豚かた肉	味覚障害、皮膚炎、慢性下痢、免疫機能障害、神経感覚障害	銅欠乏、貧血、胃の不快感
	銅 Cu	鉄代謝を助ける、免疫力を高める	レバー、貝類、甲殻類、豆類、ナッツ、ココア	貧血、白血球減少、成長障害、毛髪の色素脱失	肝機能障害、関節障害
	マンガン Mn	酵素作用や骨形成を助ける	茶葉、ナッツ、焼きのり、しじみ	（不明）	（不明）
	ヨウ素 I	甲状腺ホルモンに含まれる	昆布などの海草類、魚介類	甲状腺腫、甲状腺機能低下	甲状腺機能低下、甲状腺腫
	セレン Se	抗酸化酵素に含まれる	かつお、卵、豚もも肉	心筋障害	毛髪と爪の脱落、胃腸障害、神経系異常
	クロム Cr	糖質代謝	ブロッコリー、ぶどうジュース	（糖代謝？）	（肝障害？）
	モリブデン Mo	酵素作用を助ける	乳製品、豆類、レバー	（不明）	（不明）

注：（　）は明瞭な結果が得られていない、または、生体や代謝の状態に影響が異なる。

表 1-8　ビタミン

溶性	ビタミン名	はたらき	多く含む食品	欠乏症	過剰症
水溶性	ビタミン B_1	糖質からエネルギーを産生するのを助ける、糖質の代謝を助ける	豚肉、たらこ、うなぎ、いくら、タイ、きなこ、あおのり	脚気、ウエルニッケ脳症、神経炎	頭痛、いらだち、不眠、かゆみ
	ビタミン B_2	物質代謝一般だが、特にエネルギー代謝を助ける、皮膚や粘膜の保護、爪や髪の再生	レバー、うなぎ、うずら卵、納豆、まいたけ、のり	成長障害、口角炎、舌炎、脂漏性皮膚炎	
	ナイアシン	三大栄養素からエネルギーを産生するのを助ける、脂肪酸やステロイドホルモン合成を助ける	たらこ、まぐろ、かつお、いわし、鶏ささみ、まいたけ、ツナ缶	ペラグラ（皮膚炎、下痢、精神神経症状）	
	ビタミン B_6	タンパク質代謝と神経伝達物質生成を助ける、赤血球のヘモグロビン合成を助ける	にんにく、バジル、ピスタチオ、まぐろ、かつお、鶏ささみ、サケ	皮膚炎、口角症、リンパ球減少、うつ状態、けいれん	感覚性ニューロパシー
	ビタミン B_{12}	タンパク質や核酸の合成を助ける、正常な赤血球を作るのを助ける	しじみ、あさり、いくら、鶏レバー、さんま、のり	巨赤芽球性貧血、末しょう神経障害	
	葉酸	正常な赤血球を作るのを助ける、細胞の生成や分裂を助ける	レバー、モロヘイヤ、ほうれん草、アスパラガス、卵黄	巨赤芽球性貧血、妊娠期では胎児の神経管閉鎖障害	
	パントテン酸	エネルギー産生を助ける、抗体産生を助ける	レバー、卵黄、たらこ、納豆、鶏ささみ、モロヘイヤ	成長停止、灼熱感、ほとんど起きない	
	ビオチン	エネルギー産生を助ける、皮膚、粘膜、爪や髪の健康を保つ	レバー、卵黄、まいたけ、しいたけ、アーモンド	免疫不全症、萎縮性舌炎、ほとんど起きない	
	ビタミン C	コラーゲン合成を助ける、抗酸化作用をもつ	赤黄ピーマン、めんたいこ、柿、キウィ、いちご、ブロッコリー	壊血病、出血傾向、骨形成不全	
脂溶性	ビタミン A	目や粘膜を健康に保つ、薄暗いところで視力を助ける、上皮細胞の健康を保つ	レバー、うなぎ、卵黄、生クリーム（カロテンとしては、にんじん、ほうれん草、のり）	夜盲症、角膜乾燥症、皮膚の乾燥、成長阻害、骨および神経系の発達抑制	頭痛、脳脊髄液圧の上昇、皮膚の落屑、胎児の形態異常
	ビタミン D	腸管や腎臓でのカルシウムとリンの吸収を促進する、骨の形成と成長を促す	しらす干し、さけ、さんま、ひらめ、卵黄、まいたけ、しいたけ	くる病、骨軟化症、テタニー	高カルシウム血症、腎障害、軟組織の石灰化
	ビタミン E	細胞膜の不飽和脂肪酸を酸化から守る	たらこ、モロヘイヤ、赤ピーマン、うなぎ	通常の食品摂取では起きない	
	ビタミン K	血液凝固を促進する、骨形成を調節する、動脈の石灰化を抑制する	納豆、緑黄色野菜、のり、サニーレタス	血液凝固の遅延、新生児の頭蓋内出血や消化管出血	

🌱 子どもに不足しがちな鉄を補える、子どもに好まれる料理を話し合ってみましょう。

🌱 5歳児にカルシウムのはたらきをわかりやすく説明する方法を考えてみましょう。

🌱 カルシウムを豊富に摂取できる料理には、どのようなものがあるか話し合ってみましょう。

メモ

第 **2** 節　食事摂取基準と献立作成・調理の基本

この節のねらい

- ・食事摂取基準の目的およびその基本的な内容を理解する
- ・献立の立て方の基本を理解する
- ・食品の特徴を活かした調理法を身につける

演習 1　昨日飲食したものをすべて書き出してみましょう（間食や飲み物も含む）。

演習 2　演習 1 を踏まえ、過不足のある栄養素が何か考えてみましょう。

演習 3　演習 2 を踏まえ、バランスのよい食事にするためにはどのようにしたらよいか話し合ってみましょう。

メモ

食事摂取基準

食事摂取基準とは、健康な個人または集団を対象として国民の健康の保持・増進、生活習慣病の予防のために参照するエネルギーおよび栄養素の摂取量の基準を示すもので、5年ごとに厚生労働省が見直しを行っています。成長期の子どもに関しては、小児科系の学会が定めた標準的な子どもの身長・体重をもとにエネルギーや栄養素量がまとめられています。

なお、栄養素の指標には、摂取不足を防ぐための推定平均必要量（EAR）、推奨量（RDA）、目安量（AI）と過剰摂取を防ぐための耐容上限量（UL）、生活習慣病予防のための目標量（DG）の5種類があります（表1-9）。

単純に食事摂取基準に示された推定エネルギー必要量（表1-10）のみを見ると、子どもの数値は大人よりも低くなっていますが、子どもは生命の維持のほか、体を成長させるためのエネルギーも必要であり、体重1kg当たりのエネルギーやたんぱく質、鉄、カルシウムの必要量で比べてみると、成人と比べて2～3倍多くなっています（表1-11）。

表1-9　食事摂取量の指標

推定平均必要量	EAR	50%の人が欠乏するかもしれない量
推奨量	RDA	ほとんどの人（97～98%）が充足している量。給食の栄養素量の基準に用いられる
目安量	AI	欠乏の科学的根拠が不明なので、人間集団の調査をしてほとんどの人に欠乏がみられない量
耐容上限量	UL	過剰摂取による健康障害を防ぐ量
目標量	DG	生活習慣病の予防を目的とする量

メモ

表 1-10 推定エネルギー必要量 (kcal/ 日)

性別	男性			女性		
身体活動レベル[注1]	Ⅰ	Ⅱ	Ⅲ	Ⅰ	Ⅱ	Ⅲ
0 〜 5 （月）	–	550	–	–	500	–
6 〜 8 （月）	–	650	–	–	600	–
9 〜 11 （月）	–	700	–	–	650	–
1 〜 2 （歳）	–	950	–	–	900	–
3 〜 5 （歳）	–	1,300	–	–	1,250	–
6 〜 7 （歳）	1,350	1,550	1,750	1,250	1,450	1,650
8 〜 9 （歳）	1,600	1,850	2,100	1,500	1,700	1,900
10 〜 11 （歳）	1,950	2,250	2,500	1,850	2,100	2,350
12 〜 14 （歳）	2,300	2,600	2,900	2,150	2,400	2,700
15 〜 17 （歳）	2,500	2,800	3,150	2,050	2,300	2,550
18 〜 29 （歳）	2,300	2,650	3,050	1,700	2,000	2,300
30 〜 49 （歳）	2,300	2,700	3,050	1,750	2,050	2,350
50 〜 64 （歳）	2,200	2,600	2,950	1,650	1,950	2,250
65 〜 74 （歳）	2,050	2,400	2,750	1,550	1,850	2,100
75 以上 （歳）[注2]	1,800	2,100	–	1,400	1,650	–
妊婦 （付加量）[注3]						
初期				+ 50	+ 50	+ 50
中期				+ 250	+ 250	+ 250
後期				+ 450	+ 450	+ 450
授乳婦 （付加量）				+ 350	+ 350	+ 350

注 1 ： 身体活動レベルは、低い、ふつう、高いの三つのレベルとして、それぞれⅠ、Ⅱ、Ⅲで示した。
　2 ： レベルⅡは自立している者、レベルⅠは自宅にいてほとんど外出しない者に相当する。レベルⅠは高齢者
　　　 施設で自立に近い状態で過ごしている者にも適用できる値である。
　3 ： 妊婦個々の体格や妊娠中の体重増加量および胎児の発育状況の評価を行うことが必要である。
　4 ： 活用にあたっては、食事摂取状況のアセスメント、体重および BMI の把握を行い、エネルギーの過不足は、
　　　 体重の変化または BMI を用いて評価すること。
　5 ： 身体活動レベルⅠの場合、少ないエネルギー消費量に見合った少ないエネルギー摂取量を維持することに
　　　 なるため、健康の保持・増進の観点からは、身体活動量を増加させる必要がある。
出典：厚生労働省「日本人の食事摂取基準（2020 年版）」

メモ

表 1-11　体重 1kg 当たりのエネルギーおよび栄養素量

	エネルギー (kcal)		たんぱく質 (g)		カルシウム (mg)		鉄 (mg)	
	男	女	男	女	男	女	男	女
0〜5月	87	85	1.6	1.7	32	34	0.1	0.1
6〜8月	77	77	1.8	1.9	30	32	0.4	0.4
9〜11月	77	77	2.7	3.0	27	30	0.4	0.4
1〜2歳	83	82	1.3	1.4	30	32	0.3	0.3
3〜5歳	79	78	1.2	1.2	30	28	0.2	0.2
18〜29歳	41	40	0.8	0.8	10	11	0.1	0.1
30〜49歳	40	39	0.7	0.8	9	10	0.1	0.1

出典：厚生労働省「日本人の食事摂取基準（2020 年版)」より作成

献立の作成

■給与栄養目標量の作成

　保育所の食事は、年齢区分別に給与栄養目標量を決めます。このときに基礎となるのが食事摂取基準であり、まず子どもの日常生活の活動量を考えて推定エネルギー量を決めます（表 1-12）。1 日に必要なエネルギー量について、昼食はおおむね 3 分の 1 を目安とし、**間食（おやつ）** は 1 日の 10 〜 20％程度とするようにしています。地方自治体で若干の差はありますが、1、2 歳児では昼食とおやつを合わせて 50％、3 〜 5 歳児では 45 〜 50％を摂るように献立が組まれています。なお、0 歳児は個人差が大きいので個別対応となっています。

　エネルギー量が決まったら、たんぱく質、脂質、炭水化物の割振りを考えます。食事摂取基準では脂質を 20 〜 30％未満、たんぱく質を 13 〜 20％、残りが炭水化物を 50 〜 65％にすることを目安としています。

　献立を検討するときは、まず主食となるごはん、パン、めん類などを決め、次

▌補足説明▐
幼児は胃が小さく消化機能も未熟であるため、3 回の食事だけでは必要なエネルギーや栄養素、水分を摂取することが難しい。そのため、間食を食事の一部ととらえ食事で不足しがちな栄養素を補う必要がある。

▌メモ▐

表 1-12 　ある特定保育所における給与栄養目標量（設定例）

昼食＋おやつの比率	エネルギー (kcal)	たんぱく質 (g)	脂質 (g)	炭水化物 (g)	食物繊維 (g)	ビタミンA (μg RAE)	ビタミンB₁ (mg)	ビタミンB₂ (mg)	ビタミンC (mg)	カルシウム (mg)	鉄 (mg)	食塩相当量 (g)
1 ～ 2 歳　　50%	480	20	14	70	4	200	0.25	0.30	20	225	2.3	1.5
3 ～ 5 歳　　45%	400	22	17	45	4	225	0.30	0.35	23	267	2.4	1.5
（持参するご飯 110g）	185	4	0	40	0.3	0	0.02	0.01	0	3	0.1	0

出典：食事摂取基準の実践・運用を考える会編「特定給食施設等における栄養・食事管理」『日本人の食事摂取基準（2020 年版）の実践・運用』第一出版、84 頁、2020 年より抜粋

表 1-13 　献立の立て方

代表的な食品		1 食の目安量		特記事項
		3 ～ 5 歳児	1 ～ 2 歳児	
主食	米、パン、めん	ごはんなら 110g、パンなら 70g、めんなら 170g	ごはんなら 90g、パンなら 60g、めんなら 140g	雑穀、そばや全粒パン、ライ麦パンにすると、食物繊維、ビタミン B₁、ミネラルの摂取量が増える
主菜	肉、魚、卵、大豆製品	卵なら 40g、魚または肉なら 45g、豆腐なら 75g	卵なら 30g、魚または肉なら 35g、豆腐なら 60g	それぞれが特徴をもつので偏らないように献立のサイクルを決める
副菜	野菜、海藻、きのこ類	野菜・海藻・きのこ類合わせて 90g	野菜・海藻・きのこ類合わせて 70g	3 分の 1 以上を緑黄色野菜にすると、カロテン、ビタミン C、食物繊維、カリウムなどの摂取が増える
汁物	味噌、野菜、卵			主菜や副菜と違う材料とするとバラエティに富む。水分の補給源となるほか、野菜をたくさん入れることで野菜料理の一品に位置づけることもできる

に主菜となるたんぱく質性食品の肉、魚、卵、大豆製品を決めます（表 1 -13）。主菜に合わせて副菜を決めますが、主菜の調理法に合わせて、副菜の野菜、いも

メモ

類、海藻類といった食材と調理法を決め、さらに乳製品や果物を必要に応じて配置します。汁物は主菜や副菜があんかけやとろみのある調理法の場合には省略しても構いません。

基本的には3〜5歳児の献立を立て、分量と調理形態を変化させて1〜2歳児と離乳食へと応用します。応用できない場合には、利用可能な食材で別献立を作成します。

表1-14　調理操作

	調理操作			方法
非加熱	洗浄			基本は水洗いだが、目的に合わせて塩水、酢水、中性洗剤等を使い分ける
	浸漬			食品を水や調味液につける
	切砕			食品を切る、刻む、皮を剥く、削るなど
	粉砕、磨砕			食品に力を加えて繊維や組織を破壊し、粉状、粒状、ペースト状にする
	混合、混ねつ、撹拌			混合とは2種以上の食品や調味料を混ぜる。混ねつは混合後さらにこねる。撹拌は泡立てたりミキサーで混ぜる
	圧搾、ろ過			圧搾は固形状のものに圧力をかける。ろ過は抽出食材と液を分離する
	成形			形を整える
	冷却、凍結、解凍			冷却は食材を0〜10℃に冷やす。凍結は食品を0℃以下で凍らせる。解凍は冷凍食品を戻す
加熱	湿式 水の対流で加熱	ゆでる	80〜100℃	食品を多量の湯の中で加熱する
		煮る		食品を調味液の中で加熱する
		蒸す	100℃	水蒸気で加熱する
	乾式 油、空気、金属板を媒体として加熱	焼く	130〜250℃	直接熱源にあてる直火焼きと鉄板等を用いる間接焼き
		炒める		少量の油を使い、鉄板、フライパンなどを用いて伝導熱で加熱する
		揚げる	160〜180℃	油の対流熱で加熱する
	誘電誘導	煮る		
		蒸す	100℃	電子レンジ加熱で加熱する
		焼く		

調理の基本

　衛生に留意しながら調理します。調理法には煮る、焼く、蒸すといった加熱をするものと、加熱をしないもの、さらに冷却、解凍などがあります（表1-14）。

　また、料理に主に用いる食品について調理のポイントを表にまとめています（表1-15）。

表1-15　調理のポイント

料理	食品		主に補給できるもの	調理のポイント
主食	ごはん、パン、めん類		糖質	多く含まれるでん粉は生の状態では消化吸収が悪い。水を加えて加熱するとα化（糊化）し、消化吸収されやすい。老化すると消化吸収も悪くなる。 米は98℃で20分加熱するとα化し、軟らかく粘り気が出る。でん粉の老化は低温保存や水分が少なくなると進み、ぼそぼそになる。 パンやめんも時間が経つと水分が抜けて硬くなる。
主菜	牛肉、豚肉、鶏肉		たんぱく質	衛生上、必ず加熱する。特にひき肉は空気に触れる部分が多くなるので十分な加熱が必要。 食肉を軟らかく食べるには、肉の繊維は直角に切る、筋を切ったり除く、たたく、ひき肉にするなどの物理的な方法がある。まいたけ、しょうが、パイナップル、キウィフルーツなどのたんぱく質分解酵素を含む食品につける、味噌、しょうゆにつけるといった方法もある。食肉は部位により脂質含有量にばらつきがあるので、料理の目的に合った部位を選択する。
	魚介類			鮮度が落ちると、魚臭が生じる。低温保存によって抑えられる。 魚臭の低減には、水で洗う、塩をしてにおい成分を除く、酸を加えてアミン類を中和する、味噌、牛乳によってにおいを吸着させる、芳香野菜や香辛料などによって魚臭を包み隠すといった方法がある。
	卵			ゆで卵や卵焼きのほか、だしや牛乳で薄めて加熱して軟らかく固める、材料のつなぎとして使う、泡立ててメレンゲとするなどのさまざまな調理が可能。 熱によって固まる温度は卵黄が85℃、卵白は90℃だが、食塩や砂糖は卵液の固まる温度を上げ、酸は固まる温度を下げる。
	大豆製品（豆腐、厚揚げ、納豆など）			豆腐は口ざわりがよく、離乳食にも使いやすい。 豆腐は水の中で長時間加熱するとすだちを起こし硬くなるが、煮汁に塩分やでん粉が入っているとすだちが起きにくくなる。
副菜	野菜	いも類	糖質、ビタミン、食物繊維	でん粉を多く含む。もともと水分が70～80%含まれているので、そのまま調理してもでん粉がα化される。
		葉菜、茎菜、果菜、花菜	ビタミン、ミネラル、食物繊維	香りや食感を楽しむため、生で食べる場合は衛生状態に注意し、加熱する場合は調理時間に留意する。

出来上がった料理の彩りは食欲に大きく影響します。食品に含まれるファイトケミカルを分類し、色と調理による影響についてまとめました（表1-16）。

表1-16　食品に含まれるファイトケミカル

分類	物質名	色	溶性	多く含む食品	調理上の注意点
クロロフィル		緑	脂溶性	ほうれん草、小松菜、ケール	マグネシウムを含む。長時間の加熱や、酸を加えると、緑褐色になる。
カロテノイド	カロテン	黄、橙、赤	脂溶性	にんじん、かぼちゃ、ほうれん草、卵黄	熱に安定。酸やアルカリの影響が少ない。カロテンは体内でビタミンAになる。
	リコピン	赤		すいか、柿、トマト	
	ルテイン	黄		卵黄、ほうれん草、パセリ、かぼちゃ、とうもろこし	
	ゼアキサンチン	橙		パプリカ、卵黄、ほうれん草、くこ、とうもろこし	
	アスタキサンチン	赤		鮭、ます、いくら	
フラボノイド	ケルセチン	淡黄	水溶性	タマネギ、トマト、モロヘイヤ	抗酸化作用がある。酸で無色や白くなる、鉄やアルミニウムなどの金属イオンで黄色または黒っぽくなる。
	ルチン			そば、みかん	
	ヘスペリジン			みかん、オレンジ	
	カテキン			緑茶、ウーロン茶	
	イソフラボン			大豆、納豆、豆腐、味噌	
	アントシアニン	橙、赤、紫、青		ブルーベリー、なす、ぶどう、紫キャベツ、いちご、赤かぶ、赤しそ	酸性で赤く、アルカリ性で青くなる。長時間加熱すると色が抜ける。

メモ

🫖 加工食品の利用

　一般家庭などでは、すでに調理されたものや半調理品を使うことも多くなってきました。これらを利用する場合には、栄養成分表示や原材料表示にも注目しましょう。食品の表示については**食品表示法**で規定されています。

　栄養成分の表示内容としては、熱量、たんぱく質、脂質、炭水化物、食塩の表示がありますので参考にすることができます。

≫ まとめの演習

🌱 保育所の給食とあなたがふだん食べる食事の相違点（食材の種類、調理法、味つけなど）をあげてみましょう。

_____

_____

_____

_____

メモ

- -

- -

- -

- -

🌱用語

食品表示法
食品衛生法、農林物資の規格化及び品質表示の適正化に関する法律（JAS法）、健康増進法の食品表示に関する規定を整理・統合し、2013（平成25）年6月28日に公布された法律。2015（平成27）年4月1日に施行された。
食品を選ぶときに役立つ情報を食品の包装やパッケージに載せるというルールを定めている。健康な食生活のための情報として栄養成分表示、アレルギー対策として原材料に含まれるアレルゲンの表示、また、健康の維持増進のための科学的根拠のある機能性表示がある。

第 **3** 節　衛生管理の理解と対応

この節のねらい

・食中毒の原因と発症状況を知る

・原因微生物の特徴を知る

・食中毒への対策と衛生管理を確認する

演習 1 あなたが知っている、子どもの食品衛生上の被害を書いてみましょう。

演習 2 グループでお互いのまとめたものを話し合ってみましょう。

演習 3 食品衛生の知識として何が必要か話し合ってみましょう。

メモ

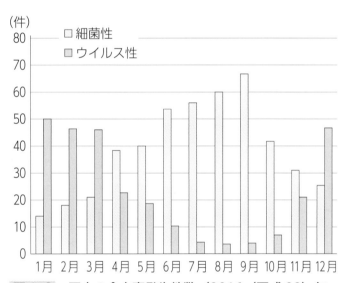

保育の現場では、子どもに食事やおやつを与えることが欠かせず、また回数も多いですが、食物は直接体内に入るものだけに危険性が大きく、食中毒の原因となることもあります。また、子どもは抵抗力が弱いため、大人よりも発症しやすく、ひとたび発症すると重症化することが多いです。このため、食材を吟味し、材料搬入から調理、配膳、環境整備まで衛生的な配慮が必要です。

食中毒の原因と発症状況

食べ物による中毒は、大きく分けると微生物（細菌、ウイルス、寄生虫など）、化学物質、自然毒の三つの原因によって惹き起こされます。発生件数の多い細菌とウイルスが原因となった食中毒の発生状況をみると、細菌は高温多湿の環境下で増えやすいので夏に多発しますが、ウイルスは乾燥しても生き残るので、人間の抵抗力の落ちる気温の低い晩秋から春に食中毒が多発します。図1-2では2016（平成28）年から2018（平成30）年の発生件数の平均値を示していますが、季節による発生の傾向は毎年ほぼ同じです。

寄生虫にはアニサキスやクドア、サルコシスティスなどがあり、生の肉・魚が

図 1-2　国内の食中毒発生件数（2016（平成 28）年～ 2018（平成 30）年の平均値）

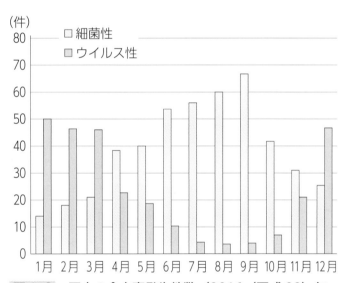

メモ

感染源となることがほとんどです。化学物質による食中毒にはヒスタミンを原因とするものがあります。ヒスタミンはサバ、ブリなどの赤身魚に多く含まれるヒスチジンというアミノ酸が変化したもので、食品の保存環境が不適切な場合に生じます。

　自然毒では採集したキノコや山菜、貝などが原因となることがあります。また、食育の一環として、子どもと一緒に野菜を栽培することがありますが、スイセンの葉をニラと間違えたり、栽培したジャガイモで食中毒を起こすことがあります。

▎補足説明▶
ジャガイモは緑色になった部分や芽、未熟なものにはソラニンやチャコニンといった苦味のある毒性物質があり、食べると吐き気や腹痛の原因となる。加熱しても壊れない。

🫖 原因微生物の特徴

　食中毒のなかで微生物によるものは90％を超えます。同じ微生物のなかでも変異してより強い毒性をもつこともありますので、29頁に示した参考サイトなどを活用して、常に新しい情報を得るようにしてください。それぞれの微生物の特徴を表1-17にまとめました。

🫖 食中毒への対策と衛生管理

■食中毒への対策

　保育所での食中毒の発生件数は2019（令和元）年では7件でした。食中毒を防ぐには、原因菌を「つけない」「増やさない」「やっつける」という原則があります。「つけない」ためには、手を必ず洗う、汚染が考えられるものは調理器具を分けるといった対策を、「増やさない」ためには、冷蔵保存や速やかな冷却を、「やっつける」ためには加熱をすることが有効です。なおウイルスは、少量のウイルスが人間の細胞で増えて発症しますので「増やさない」ではなく「持ち込まない」「広げない」ことが重要となります。

　手洗いのときに洗い残りの多い部位を図1-3に示しました。特に利き手の親指周辺は、汚れが残りやすいので、注意しましょう。また、正しい手洗いの方法を身につけるようにし、タオルの共用を避けるほか、タオル同士が触れることのないようタオル掛けの間隔を十分にとるといった環境を整えることも重要です。

▎メモ

表 1-17　主な食中毒の原因微生物

分類	細菌・ウイルス	常在する場所	症状	原因食物	潜伏期間	特徴
細菌性食中毒（毒素型）	ボツリヌス菌	河川や土の中など自然界に広く分布、動物の腸管	吐き気、おう吐、筋力低下、脱力感、便秘、神経症状、乳児ボツリヌス症*	発酵食品、缶詰、瓶詰、蜂蜜	0〜36時間	酸素のないところで増殖し、熱に極めて強い芽胞をつくる。毒性の強い神経毒をつくる。毒素の無害化には、80℃・30分間の加熱が有効
	黄色ブドウ球菌	自然界に広く分布し、ヒトの皮膚、鼻や口の中にいる	急激なおう吐や吐き気、下痢	加熱した後に手作業をする食べ物	30分〜6時間	酸性やアルカリ性の環境でも増殖し、つくられた毒素は熱にも乾燥にも強い。傷や吹き出物を触った手で食べ物を触ると菌が付きやすい
	セレウス菌	河川や土の中など自然界に広く分布	おう吐と下痢	おう吐型：ピラフ、スパゲッティなど。下痢型：食肉、野菜、スープ、弁当など	おう吐型は1〜5時間、下痢型は8〜16時間	熱に強く、加熱による殺菌が難しい。ただし、少量では発症しない。芽胞は90℃・60分間の加熱でも死滅しない
細菌性食中毒（感染型）	ウエルシュ菌	ヒトや動物の腸管、土壌、水中など自然界に広く分布	下痢と腹痛、下腹部のはり	煮込み料理（カレー、煮魚、麺のつけ汁、野菜の煮つけ）など	6〜18時間	加熱調理した食品の冷却は速やかに行い、室温で長時間放置しない。食品を再加熱する場合は、十分に加熱して、早めに食べる
	腸管出血性大腸菌（O157、O111など）	牛や豚などの家畜の腸管	腹痛や水のような下痢、出血性の下痢	十分に加熱していない肉や生野菜	12〜60時間	乳幼児では重症化することもある
	サルモネラ菌	河川や土の中など自然界に広く分布、動物の腸管	吐き気、腹痛、下痢、発熱、頭痛	十分に加熱していない卵・肉・魚	6〜48時間	菌をもっている鶏から産まれた卵が汚染される。乾燥に強く、熱には弱い
	腸炎ビブリオ	海水（塩分濃度3〜3.5%）に生息し、夏の高温でよく増殖し、魚介類の表面につく	激しい下痢、腹痛、発熱（37〜38℃）	刺身や寿司など生の魚介類、生の魚介類に使った後に洗浄不十分である調理器具を使ったサラダ、漬物など	4時間〜4日	塩分濃度3%でよく増殖するが、塩分濃度0.5%でも増殖可能なので、真水でよく洗う。加熱すれば死滅する
	カンピロバクター	牛や豚、鶏、猫や犬などの腸管	発熱、倦怠感、頭痛、吐き気、腹痛、下痢、血便	生や加熱不十分な肉（特に鶏肉）、飲料水、生野菜	2〜7日	ペットからうつることもある。乾燥に弱く、加熱すれば菌は死滅する
ウイルス性食中毒	ノロウイルス	二枚貝、ウイルスに汚染された水道水や井戸水	おう吐、下痢、腹痛	十分に加熱していない二枚貝、ウイルスに感染した人が触った食物	1〜2日	手指や食品などを介して、口から体内に入ることによって感染し、腸の中で増殖

＊乳児ボツリヌス症：ボツリヌス菌は芽胞をつくり休眠状態になります。芽胞は120℃で4分間加熱しないと死滅しません。蜂蜜は市販される前に加熱処理を行っていないため、ボツリヌス菌が芽胞のまま入っている可能性があります。抵抗力がつく1歳以上ではほかの腸内細菌が攻撃するため、ボツリヌス菌は死滅してしまいますが、1歳未満では、蜂蜜の中のボツリヌス菌が腸内で増殖して便秘や泣き声の変化、首のすわりが悪くなるなどの症状が現れることがあります。このため、1歳未満では、加熱の有無にかかわらず、蜂蜜を与えないようにします。

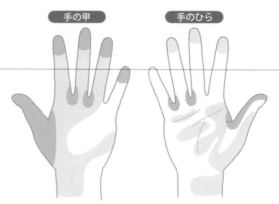

手の甲　　手のひら

図 1-3　汚れが残りやすい部位（利き手が右手の場合）

■集団調理で特に注意が必要な微生物

ウエルシュ菌に対する予防

　料理のつくりおきはしないようにします。カレー、シチュー、麺つゆなどは十分に加熱してあっても、温度が下がる過程で芽胞が増え、菌が増えることがあります。このため、つくったらすぐ食べることが原則です。もし保管する場合は、菌にとって好環境である 45 ～ 55℃となる時間を可能な限り短くするため、小分けして急激に冷まし、冷蔵庫で保存します。

ノロウイルスに対する予防

　ノロウイルスは感染力が非常に強く、わずか 100 個以下のウイルスでも発症します。そのため、汚染された食品だけでなく、食品取扱者や調理担当者の手指を介しても感染することがあります。一般的な感染症対策で用いられる消毒用アルコールでは完全に失活化することはできず、ウイルスの失活化には次亜塩素酸ナトリウムを用いるか、85 ～ 90℃で 90 秒以上の加熱が有効とされています。調理前の手洗いを確実に行うほか、食品を十分に加熱することはもとより、おう吐や下痢などの症状が出たときの対応についても日頃から準備しておくことが大切です。

　メモ

腸管出血性大腸菌に対する予防

　十分な加熱調理（75℃・1分以上）で死滅します。一方で、すでに調理された食材や加工食品を介して起こることもあります。このため、保育所に搬入されるまで、食品が衛生的に調理・管理されているかを確認する必要があります。

■衛生管理

　給食による食中毒や異物混入事故は、製造物責任法（PL法）や食品衛生法などにより事故賠償請求の対象となることもあります。集団給食での食中毒防止のために「大量調理施設衛生管理マニュアル」（平成9年3月24日衛食第85号別添、最終改正：平成29年6月16日生食発0616第1号）と中小規模向けの「中小規模調理施設における衛生管理の徹底について」（平成9年6月30日衛食第201号）が通知されています。主な項目を以下にあげます。

---

①原材料と保存食品の検収を行い、記録する。

②加熱調理は食品の中心が75℃になるように1分以上加熱する。

③シンクは用途別に使用する。

④調理後の食品の保存は菌の増殖を防ぐため、10℃以下または60℃以上とする。

⑤調理後2時間で料理は廃棄する。

⑥配食前の1人分の給食を食べるという検食を行う。

　また、食中毒が起きたときの原因を明らかにするため、生の食材と料理を各50gずつ2週間冷凍保存する義務があります。

　さらに、食中毒防止のために、調理担当者は健康保菌者でないことを確認するために定期的に検便などを行います。食品衛生法の一部改正により、2021（令和3）年からHACCP（Hazard Analysis and Critical Control Point）に沿った衛生管理が学校等の給食施設に準用されるようになりました。これは衛生管理を計画的に行うための基準を作成してチェックし、見直すという手順です。食事提供が20食以上と20食未満の施設のガイドが示されています。20食未満では、HACCPは適用されませんが、参考にして下さい。

　保育者は子どもと直接接する機会が多いため、常に自らの健康管理に留意しましょう。

メモ

🌱 今まで行ってきた食中毒予防のための対策を具体的にあげ、より適切な対
応とするために何ができるかを検討してみましょう。

_____

_____

_____

_____

🌱 保育所での取組みを活かしながら、保護者に対して食中毒予防の啓発を行
うとき、どのような方法があるかを考えてみましょう。

_____

_____

_____

_____

メモ

- -

- -

- -

- -

＜参考文献＞
堤ちはる・土井正子編著『子育て・子育ちを支援する 子どもの食と栄養 第10版』萌文書林、
2021年

＜参考サイト＞
環境省「第1章 紫外線とは―6.紫外線とビタミンD」『紫外線環境保健マニュアル2020』
(https://www.env.go.jp/chemi/matsigaisen2020/matsigaisen2020.pdf)
厚生労働省「食中毒」(https://www.mhlw.go.jp/stf/seisakunitsuite/bunya/kenkou_iryou/
shokuhin/syokuchu/index.html)
厚生労働省「食品衛生法の改正について」
(https://www.mhlw.go.jp/stf/seisakunitsuite/bunya/0000197196.html)
厚生労働省「HACCPの考え方を取り入れた衛生管理のための手引書（小規模な一般飲食店事
業者向け）」
(https://www.mhlw.go.jp/stf/seisakunitsuite/bunya/0000179028_00003.html)
公益社団法人日本食品衛生協会「食中毒・食の安全Q&A」(http://www.n-shokuei.jp/
eisei/food_poisoning.html)
農林水産省「食中毒から身を守るのには」(https://www.maff.go.jp/j/syouan/seisaku/
foodpoisoning/)
食品安全委員会「食中毒予防のポイント」(http://www.fsc.go.jp/sonota/shokutyudoku.
html)
感染症情報センター「嘔吐物・下痢便の処理」(http://idsc.nih.go.jp/disease/norovirus/
taio-b.html)

＜おすすめの書籍＞
厚生労働省「日本人の食事摂取基準（2020年版)」
下村道子・和田淑子編著『新調理学』光生館、2015年
木戸詔子・池田ひろ編『調理学 第3版』化学同人、2016年

メモ

第2章

食育計画の作成と活用

食育の理解と計画および評価

- 食育推進に関する法律や指針などのポイントをほかの職員に説明できる
- 保育所での食育の「養護」と「教育」を具体的に説明できる
- 食育計画が組織的、計画的に構成されているか確認・指導できる

演習 1 保育所の食育の目標を書きましょう。

演習 2 保育所の食育計画のなかで、意識して強化していることや足りないことを踏まえて、これからやりたいことなどがあればまとめてみましょう。

演習 3 個人の離乳食の進め方の目安表（例：進行状況がわかるもの、食材チェック）をほかの保育所と比較し、参考にしたい点をあげてみましょう。

メモ

食育の基本と内容

　食育は、食に関する知識と食を選択する力を習得し、生涯を通して健全な食生活を実現することができる人を育てることを趣旨としています。

　食環境のさまざまな問題点から社会全体で取り組むべきこととして、食育基本法が 2005（平成 17）年に制定されました。食育基本法の前文には、食育が「生きる上での基本であって、知育、徳育及び体育の基礎となるべきもの」と位置づけられているように、子どもの健全育成の柱となる重要なものです。

　保育所では、子どもや子どもを取り巻く家庭、地域に向けて、食に関する理解を深めてよりよい食生活が送れるように、さまざまな取組みが求められています。

　保育所における食育の方向性を示すものとして、「楽しく食べる子どもに～保育所における食育に関する指針～」（平成 16 年 3 月 29 日雇児保発第 0329001 号）

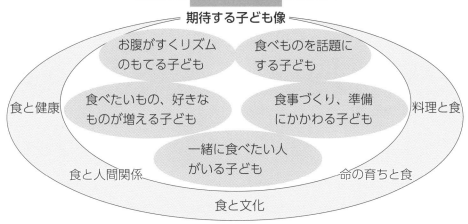

目標
現在を最もよく生き、かつ、生涯にわたって健康で質の高い生活を送る基本としての「食を営む力」の育成に向け、その基礎を培うこと

期待する子ども像

お腹がすくリズムのもてる子ども

食べものを話題にする子ども

食べたいもの、好きなものが増える子ども

食事づくり、準備にかかわる子ども

一緒に食べたい人がいる子ども

食と健康

料理と食

食と人間関係

命の育ちと食

食と文化

保育所を拠点とした環境づくり

出典：こども未来財団「保育所における食育の計画づくりガイド～子どもが「食を営む力」の基礎を培うために～」2007 年

図 2-1　「楽しく食べる子どもに～保育所における食育に関する指針～」の基本構造

メモ

があります。それによると、保育所における食育の目標は、「現在を最もよく生き、かつ、生涯にわたって健康で質の高い生活を送る基本としての「食を営む力」の育成に向け、その基礎を培うこと」とされています。楽しく食べる子どもに成長していくことを期待し、五つの子ども像の実現を目指します（図2-1）。

🫖 保育所保育指針における食育の推進

■養護と教育の両面からの展開

食育は、保育と同様に「養護」と「教育」の内容を相互に関連させながら一体的かつ総合的に展開していく必要があります。具体的な内容を表2-1に示しました。

表 2-1　食育の養護的・教育的役割

養護的役割	
生命の保持	清潔で安全な環境を整える 適切な援助から子どもの生理的欲求を満たす 遊び、睡眠、食事などにより、子どもにふさわしい生活リズムをつくる
情緒の安定	言葉がけや応答的かかわりを通して安らぎや安心感を与える 楽しい食体験により食べる意欲を育てる
教育的役割	
健康	健康と食べ物の関係に関心を持たせる 調理の工夫や生活習慣をバランスよく展開し、食欲を育む 食事、排せつ、睡眠、衣服の着脱、身の回りを清潔にすることなど生活に必要な活動を自分でする
人間関係	協力し合うことやルールを知り、人とのかかわり方を身につける 思いやること、感謝することから人とかかわる楽しさ、役に立つ喜びを味わう
環境	栽培活動、下ごしらえ、クッキングなどから興味や関心を示す 自然に触れて生活し、その美しさ、不思議さに気づく 五感のはたらきを豊かにする
言語	説明する話に耳を傾け、経験や考えたことを自分なりに表現する
表現	さまざまな経験をもとに気づいたり、絵や工作などの遊びに取り入れて楽しむ

メモ

34

① 3歳未満児

　乳児が空腹感を感じて乳汁や離乳食を欲しがる時に、保護者や保育士がやさしく抱いて授乳したり、目を見つめながら話しかけたりする「生命の保持」的行動により、乳児は空腹が満たされる心地よさや満足感を味わうことができます。さらに、その子の気持ちに同調する応答的な対応から、人との信頼関係が深まり、「情緒の安定」がもたらされます。情緒の安定が図られれば、子どもは身近な環境のなかで、知りたい、やってみたいという気持ちが芽生えます。

② 3歳以上児

　集団保育での給食やそのお手伝いなどを通じて、マナーや協力し合うことを知り、思いやりや協調性が養われます（人間関係）。作物を育てることや収穫の喜びからつくる人や自然界への感謝の気持ちが育つとともに、自ら食べたいものや好きなものが増え、食べる楽しさや食べものへの興味が高まります(環境、健康)。調理前の食材を展示したり、給食前に栄養士などが調理した食品や献立の説明をすることで、子どもの興味・関心が引き出され、知識や経験を自分なりの言葉にしたり、表現する力が豊かになります（言葉、表現）。

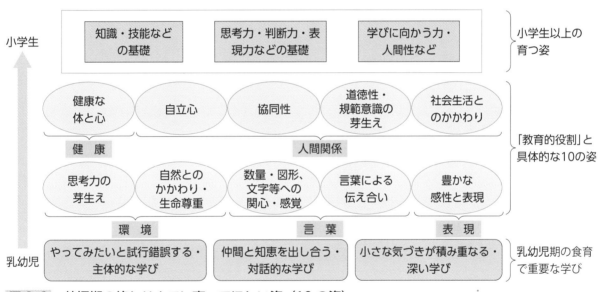

図 2-2　幼児期の終わりまでに育ってほしい姿（10 の姿）

メモ

■幼児期の終わりまでに育ってほしい姿

　幼児期の終わりまでに育ってほしい姿（10の姿）（図2-2）は、さまざまな経験や学習を通して卒園ごろまでに育まれる子どもの姿を具体的に示したもので、小学校へのスムーズな移行を図るために示されています。食育活動においても、体験を通して育てたい具体的な取組みをイメージすることです。

　例えば、子どもの「味噌汁おいしいな。どうやってつくったの？」という質問に、「だしはかつお節だよ」というやり取りがあるかもしれません。そこで、話のやりとりから「だし」をテーマにすることができます。だしの材料となるかつお節、昆布、煮干し、干ししいたけ等さまざまな食材に触れたり、匂いを嗅いだり、だしのとり方を見せたり、味わうことは子どもの気づきにつながります。今度は、干ししいたけをつくりたい、味噌汁をつくってみたいという気持ちが芽生えるかもしれません。さらに、味噌への興味から豆を知りたくなるというように、仲間との会話を通して発展していきます。

　このように、食育は普段の生活のなかで、子どもが自らやってみたいと試行錯誤する主体的な学び、知恵を出し合う対話的な学び、小さな気づきを積み重ねていく継続的な学びにすることが重要ですから、常に子どもたちの言葉に耳を傾けることが大切です。

🫖 食育計画──マネジメントサイクル（PDCA）の活用

　食育計画の内容は保育の一環として具体的に組織的・計画的に構成され、保育所と家庭の食生活の両方を通して総合的に展開されるように作成します。保育所それぞれの状況や地域の実態に合わせることが大切です。

　実施には、マネジメントサイクルである計画（Plan）→実施（Do）→評価（Check）→改善（Action）を繰り返しながら目標を達成していきます（図2-3）。

メモ

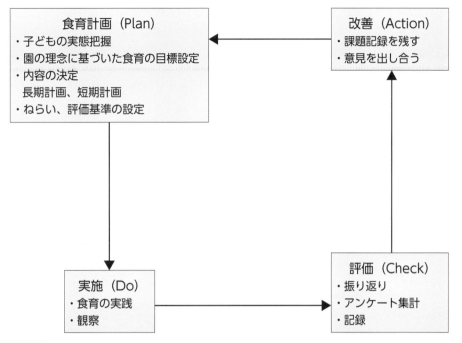

図 2-3 PDCA サイクル

■計画（Plan）

　計画を立てる際には、日頃の子どもの食べる様子から気になることはないか職員間で意見を出し合います。例えば、よく噛んで食べる習慣が身についていないことが共通認識されたところで、咀嚼力の形成とその向上に取り組むための活動を考えます。

　咀嚼の実態を把握するためには、職員に向けた調査を行うことも一つの方法です。咀嚼に関する項目として年月齢、歯の本数、歯の健康状態、食べ方や噛み方の特徴、一口量、姿勢、発音や滑舌、咀嚼回数などを観察する調査を定期的に行います。定期的に行うことで子どもたちの発達や変化を継続的に見る目が養われ、必要とする知識や支援技術の向上につなげることができます。

　クラス（年月齢）ごとに、発達を見通した取り組みを考えていきます。咀嚼力の向上には、発達に合った食事形態や固さ、自分で食べる意欲を育てるための食

メモ

事内容やかかわりだけでなく、食事時間にお腹が空くような生活リズム、正しい姿勢を保つことにつながる遊びや運動などの環境、家庭との連携も大切になるので、全体の計画と食育計画を連動させて一貫した活動になるよう長期的（年間、期、月間など）、短期的（週、日など）な計画に盛り込んでいきます。生活のなかで積み重ねていくことが大切なので、子どもにとっても無理のないスケジュールでイベントが多くなり過ぎないように配慮します。

　一つの活動においては、実施の流れやポイントをまとめ、期待される学びについて具体的な評価基準を決定します。評価基準では、目標やねらいに対する具体的な評価の視点や項目を決めます。身長、体重、喫食量などの客観的な「量的評価」と、子どもの意欲、心の育ちなどについての「質的評価」です。例えば、大豆を残さず食べる（量的）、奥歯でよく噛むことを意識する（質的）などです。評価基準を明確にすることで、職員が評価するためのポイントが明確になり、子どもの様子を的確に観察できるようになります。

■実施（Do）

　担当職員は、活動内容の流れやポイントに沿って実施します。実施中は、子どもの様子を客観的に観察し見守ります。保護者や地域の方の参加がある場合は、職員の配置を整え、参加者が楽しめるよう全体を見渡しながら配慮します。

　観察は、「みんなで楽しんでいたみたい」「喜んでいたみたい」というような全体の様子や職員の感想ではなく、「驚いている」「真似をしている」「噛むとおいしい味がするよと言っている」などの子どもの反応やつぶやきに耳を傾けます。保護者や地域の参加者には、アンケートに記入してもらうとよいでしょう。

■評価（Check）

　目標が達成されたかどうかを確認するには、企画評価、実施（プロセス）評価、結果評価があります。

　企画評価では、子ども一人ひとりの発育・発達に合っていたか、望ましい活動であったか、実態に即した内容であったかなどを確認します。実施（プロセス）評価では、食育活動を計画通りに実施し、職員は適切にかかわっていたか、子どもたちが主体的であったか、記録や映像などを用いて確認します。結果評価では、

メモ

計画時の評価基準であった「量的評価」「質的評価」について振り返ります。さらに、養護的役割や教育的役割（幼児期の終わりまでに育ってほしい姿）への対応がなされていたかを子どもたちの反応やつぶやきの記録、アンケートの集計などから評価します。

実施後には、子どもや保護者の行動や言葉の変化に注目します。給食に出された肉をよく噛む様子がみられた、姿勢を崩して食べている友達に注意していた、体験したものが家庭でもつくられていたことなども記録します。

評価は、職員が揃って行います。経験年数の長短にかかわらず、職員一人ひとりの意見や考えをくみ取るように、発言しやすい雰囲気づくりを心がけましょう。揃って共有する時間がとれないときは、評価、意見をメモにしてもらい、担当者が集計して回覧する方法もあります。

■改善（Action）

実施した経過や前述した評価に基づいて、課題を明らかにし、今後の取り組みに生かしていきます。検討を繰り返し続けることで、職員間の共通認識が高まり、食育の取り組みについてそれぞれが主体的に考えるようになります。よりよい計画・実施となるよう、工夫を積み重ねていくことが大切です。

メモ

🌱 誰もが発言しやすい話し合いの場を整えるため、どのような手段が考えられますか。具体的な方法を考えてみましょう。

_____

_____

_____

_____

🌱 PDCA サイクルに沿って食育計画を立てたり、変更していますか。保育所の実態をまとめてみましょう。

_____

_____

_____

_____

メモ

- - - - - - - - - - - - - - - - - - -

- - - - - - - - - - - - - - - - - - -

- - - - - - - - - - - - - - - - - - -

- - - - - - - - - - - - - - - - - - -

第 2 節　食育のための環境

この節のねらい

・自然環境を活かした食育の展開を具体的に説明できる

・食卓環境への配慮を具体的に説明できる

・子どもが人とかかわる力を育む環境への配慮を具体的に説明できる

演習1 自然環境、食卓環境への配慮について、保育所の現状を整理しましょう。

演習2 食事のマナーについて、①どのようなことを、②どのようにして、教えているか整理しましょう。

　子どもが自らの感覚や体験を通して育つ環境には、自然の恵みとしての食材そのものや、食材の生産から流通、調理にかかわる人々など、物的・人的環境への配慮が必要です。

メモ

🫖 自然環境を活かした食育

「保育所における食育の計画づくりガイド」（2007（平成19）年）には、「幼児期において自然のもつ意味は大きく、その美しさ、不思議さ、恵みなどに直接触れる体験を通して、いのちの大切さに気づくことを踏まえ、子どもが自然とのかかわりを深めることができるよう工夫すること」と説明されています。

栽培活動は、園庭等での食材の栽培、収穫、調理の手伝いを通して、食材への興味が芽生え、感謝して食べることを学びます。また、子どもたちの手伝いを通した成長を家庭に伝えることは家庭の食育につながります。そこで、家庭に向けた発信方法を工夫します。例えば、連絡帳やおたよりで伝えること、食育活動の様子を印刷（写真、映像）し、コメントをつけた紹介や収穫物を展示することもできます。展示を見て親子の会話が増えると保護者の意識も高まります。

栽培活動の作物の育ちが順調にいかないと、担当職員や子どもたちは、残念に思いますが、そこで終わらせず、何が原因であったのかを一緒に考えて今後の工夫する力とし、次の活動が大きな喜びになるように導きます。地域の栽培に詳しい人に協力をしてもらうよう手配して、生産者の苦労を知ることや感謝の気持ちを高めることも大切です。

栽培活動が難しい環境の場合は、子どもたちにどんなことができるか、職員の意見を引き出して、保育所全体で考えます。例えば、調理する前の旬の食材に触れたり、匂いを嗅いだりして、自然の流れ、地域の産物であること等を伝えます。また、子どもと一緒に食材の買い物に行ける場所や農家の畑を見学できる場所を協力して探します。日々のなかで栄養士や調理員と何ができるか、リーダーは担任と給食室の連携を図ることが必要です。

🫖 保育室や食卓環境への配慮

具体的な食環境については、子どもたちが楽しく食べることができるという点を第一に考えます。食事をする場所で過ごしやすくするために、体の大きさに合わせたテーブルやいすをはじめ、チェック項目を参考にして、子どもたちの心身の発達状況に合わせた心地よい落ち着いた食環境を整えます。

メモ

　また、食事は単なる栄養素やエネルギー摂取の時間にとどまらず、子どもの育ちをとらえ、信頼関係を育む機会でもあります。保育士が用意する環境次第でその可能性は無限に広がっていきますので、自分に何ができるのかあらためて確認することが大切です。

☑ チェック項目

- ☐ 食事をする場の環境が適切である（室温、換気、採光、音、安全など）
- ☐ 子どもと一緒に食べる人の構成を考えている（保育士と1対1、友達の人数など）
- ☐ 配膳時、食器を正しい並べ方で配置している
- ☐ 保育士自身がマナーを守って食事をしている
- ☐ 盛りつける量に気を配っている
- ☐ ふだんとは異なる形態で食事を提供し子どもの発達をとらえる機会としている
- ☐ 年齢に応じた配慮をしている（授乳期、離乳期など）
- ☐ 子どもの発達段階に応じた食器や食具を使用している

🫖 人とかかわる力を育む環境への配慮

　調理員や栄養士などさまざまな立場の人が携わる食の場面は、子どもたちが人とかかわる力を育む絶好の機会となり得ます。身近な大人や友達とかかわる機会を整えていくことも重要です。

☑ チェック項目

- ☐ 調理員や栄養士に子どもの食事の様子を伝える工夫をしている
- ☐ 調理員や栄養士と子どもが一緒に食事を摂る機会を設けている
- ☐ 食事の準備、片づけなどを子どもたちと一緒に行っている
- ☐ 食を通じて地域の人と交流する機会を設けている
- ☐ 保護者と信頼関係を構築している

メモ

▌補足説明▶

マナーを意識することで、一緒に食事をする人を不快にさせない思いやりの気持ちを育てる。職員は、子どもの手本になるように、正しい食べ方等を身につける。

▌補足説明▶

例えばバイキング給食は仲間のことも考えながらさまざまな食品をバランスよく摂る経験ができる。また、子どもが自ら選ぶ経験を積むことで主体性が育ち、好きな物が増える。そこで保育士はできる限り手を出さず成長を見守ることが大切である。

🫖 楽しい食事にするための環境への配慮

　子どもが主体的に食事に向かえるようにするには、食事の前にお腹が空いた状態になるよう午前中の活動を考えます。家庭との連携は大切で、朝食抜き、朝食時刻が遅すぎるようなら、改善してもらうことも必要です。

　一人ひとりの生活リズムと食欲を考慮して、ゆとりある食事時間にします。低年齢の場合は、飲んだり食べたりする子どものリズムに合わせること、幼児の朝食時刻が一律ではない場合は、食べ始める時刻に違いをつけて、子ども自身が食べる時間を決めるようにすることもできます。お腹が空いて食卓につくことで、集中して残さず食べることができます。

　食事内容は、一人ひとりの発達に合っているか、体調に合わせているかなどを考えながら、形状やとろみ、味つけなど食べやすくなるよう配慮します。食べたくなるような盛りつけ、配膳の仕方を工夫しているかどうか定期的に確認します。

　食べたがらないときには、強制するより励ましやほめるなどの対応を心がけます。食事に期待をもたせるためには、献立を知らせるボードや食材や給食のサンプルの展示などを工夫します。

▌補足説明▐
「頑張って食べよう」「一口でもいいから食べなさい」「全部食べなさい」といった言葉かけよりも、食べたくなる言葉かけをしたい。
「今日の給食は何かな?」「どんな味がするかな?」「噛むとどんな音がするかな?」「これ食べると目がキラキラするよ」などのように工夫する。

🫖 安全のための環境への配慮

　年齢によって配慮すべき内容は変化しますが、食べ物の誤嚥・窒息事故の予防は欠かせません。もち、豆類、ミニトマトなど、上手に噛むことが難しいものや魚の骨などは3歳ぐらいまではよく詰まらせてしまいます。細かく刻んだり、発達年齢により献立内容を変えるなど調理の工夫をしてもらうように栄養士や調理員と連携を図りましょう。その他、使用する食材や調理器具の衛生管理、手洗い・身支度の正しい方法の指導、やけどや切り傷といったけがの予防など、安全な環境を確保するために配慮すべき事柄は多岐にわたります。

　とはいえ、安全を考えるあまり、少しの危険ですら遠ざけてしまうと、子どもたちの挑戦の機会を奪うことにもなり、子ども自らが危険を察知し、回避する力を育むことが難しくなります。子どもたちが新しい活動にチャレンジする機会を確保しつつ、一方においては、決して大きな事故につながることがないようバラ

▌メモ▐

- -

- -

- -

- -

ンスのよいかかわりが求められます。

≫ まとめの演習

🌱 クッキングを安全に行うために配慮すべき事柄を、2歳児、3歳児のそれ
ぞれで考えてみましょう。

_____

_____

_____

_____

🌱 4歳児にバイキング給食を行うにあたって、どのような環境を整えますか。
具体的に考えてみましょう。

_____

_____

_____

_____

メモ

- -

- -

- -

- -

第 **3** 節　食生活指導および食を通した保護者への支援

この節のねらい

- 保育所に入所している子どもの保護者に対する支援方法を具体的に説明できる
- 地域の子育て家庭に向けた支援方法を具体的に説明できる
- 保育所で食の個別相談を行う体制づくりができる

演習 1　食べ方が気になる子どもへの対応策を考えてみましょう。
- ・よく噛まないで食べる子
- ・食が細い子
- ・立ち歩く子

演習 2　保育所から家庭に配布する園だより、給食だよりをグループで発表し合い、保護者の反響があった記事等について、意見交換をしてみましょう。

メモ

🫖 保育所が行う食を通した保護者支援

　保育所保育指針（平成29年厚生労働省告示第117号）では、保育所の役割として「保育所は、入所する子どもを保育するとともに、家庭や地域の様々な社会資源との連携を図りながら、入所する子どもの保護者に対する支援及び地域の子育て家庭に対する支援等を行う役割を担うものである」と示されています。

　食に関する不安や心配事を抱える保護者は少なくありません。保護者は、食の情報がありすぎて不安に思ったり、身近に相談する人がいないので孤立しているような状況がみられます。また、家庭での食に目を向けることは、不適切な養育や虐待などの予防や発見につながることもあります。

　保育所は、施設、設備、環境、専門性を活かして助言や支援を行います。まずは、保護者の話を傾聴して情報を整理します。相談内容、支援内容により地域の関係機関（医療機関、市町村保健センター、保健所、児童相談所など）と連携し、紹介を必要とする場合もあります。

🫖 保育所に入所している子どもの保護者に対する支援

■情報発信

　保護者に対し、保育所では子どもの食育に関してどのように取り組んでいるのか連絡帳、園だより、給食だより、送迎時などの対話により伝えることで、子どもの食に関する興味・関心を伝えることができます。

①情報の共有

　日々の食事は、子どもの発育・発達状況、栄養状態、喫食状況、家庭での食生活状況などを把握して、子どもの状況に応じたものでなければなりません。特に低年齢児では、連絡帳等を用いて情報を共有して食事量や内容を確認し、家庭と保育所の足並みをそろえていきます。

　保育所で食べることができた料理や食品、食べ方の状況、食事中の友達・保育士との会話やかかわりなどを伝えることで、家庭では気づきにくい発達を伝えることができます。保育所が保護者とともに子どもの成長を共有することで、保護

🔍 参照
保育指針第1章─
1─(1)保育所の役
割─ウ

補足説明
専門性とは保育士による保育指導、保健師・看護師による保健指導、栄養士による栄養指導など。保護者にとって身近に相談できる相手は保育士なので、保育士は食に関する基本的な知識を身につけておくことが求められる。

メモ

者の食への関心や子育てへの自信や意欲を高めることができます。送迎時などにも気軽に相談ができるような雰囲気づくりを心がけることが大切です。

②園だよりや献立表の工夫・活用

　園だよりや給食だよりは、健康や栄養、食材などの知識のほかに、子どもの発達上起きる食行動（むら食い、遊び食べ等）の解説や対処の仕方などをコラムとして掲載すると、保護者の参考になります。リーダーはそのような情報を誰に書いてもらうのか、早めに調整ができるように進行状況を確認します。

　献立表には、家庭の献立のヒントになるコラムなどを盛り込むことができます。その日の給食やおやつに含まれない食材や旬の食材を紹介すると、家庭での食事づくりの参考になります。子どもたちの人気献立のレシピの紹介は、家庭でつくるきっかけにもなります。子どもたちの食べる様子などを、栄養士や調理員に見てもらったり、情報提供を行い参考にしてもらうことも検討します。

■体験

①保育体験

　保護者の一日保育体験は、よい効果をもたらします。職員と保護者が交流するだけでなく、ほかの子どもと顔なじみになり、その保護者とも交流がしやすくなります。保育に対しても体験してもらうことで職員との理解が深められたり、信頼関係を築くことができます。子育てに不慣れな保護者には、食事中の子どもへの言葉かけ、かかわり方を学ぶ機会にもなります。

②展示、レシピ紹介

　離乳食、幼児食やおやつの実物展示等が行われていますが、展示することに加えて、刻み方、味のつけ方、とろみのつけ方などの調理方法のポイント等を示したり、レシピ紹介があると、家庭での食の援助になります。リーダーは保護者の視点を考慮して適宜アドバイスを行います。

③保護者参観

　給食やおやつの参観は、実際に子どもが食べている姿を保護者が確認できる機会をつくります。試食会は、味つけ、調理形態、量などを伝えることができます。異年齢クラスの参観は、これからの子どもの成長がわかり、成長の見通しを立てることもできます。

メモ

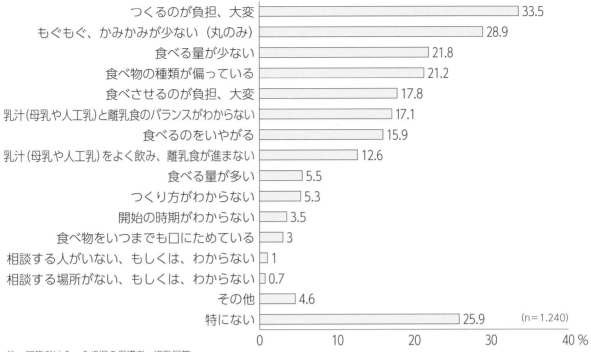

注：回答者は 0 〜 2 歳児の保護者、複数回答。
資料：厚生労働省「平成 27 年度乳幼児栄養調査結果の概要」2016 年

図 2-4　離乳食について困ったこと

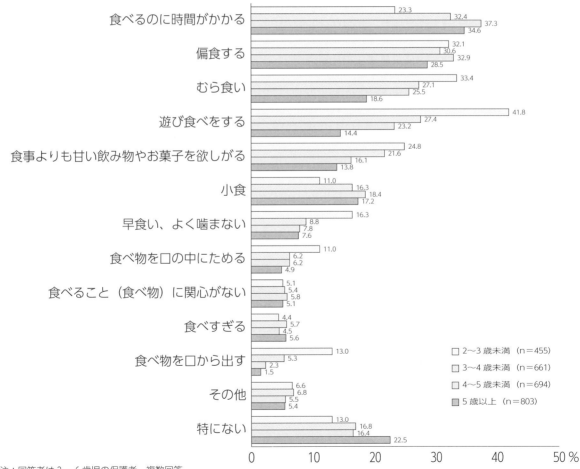

注：回答者は 2 〜 6 歳児の保護者、複数回答。
資料：図 2-4 と同じ

図 2-5　現在子どもの食事について困っていること

④講習会

　保護者向けに離乳食や幼児食の講習会を開催することが可能な環境であれば、保護者は、実際に見たり、試食したり、質問することで、悩んでいるのは自分だけではないことに気がつき、不安が軽減されるでしょう。その際は、あらかじめ保護者が離乳食、幼児食で困っている内容（図2-4、図2-5）を職員全員で理解しておくことが重要です。保護者は、この食行動がいつまで続くのかと不安に思っていることが多いものです。幼児期の悩みは年齢により変わっていくので、保護者には、子どもの食行動がどのように変化していくのか、先の見通しをあらかじめ知らせておくことで、気持ちに余裕をもたせ、悩みを和らげることができます。

地域の子育て家庭に向けた支援──食を通した支援

　地域の子育て家庭に向けて保育所が培ってきた子育ての知識や技術、経験を伝えることも保育所の役割の一つです。食を通じて子育てを学び合い、分かち合い、支え合い、育て合うという関係を重視しながら、さまざまな形で地域支援に取り組みます。

　例えば保育所の保育室や遊び場を地域子育て支援拠点（子育てひろば）として地域の方に開放することが考えられます。保育所を交流の場とすることで地域の子育て家庭とのつながりが生まれ、そこから食にかかわる悩みの相談につなげることができます。

　地域に向けて情報発信を行うことも支援の一つです。保育所のホームページなどを使って幼児食のレシピや食の悩みに関するQ&Aなど発信することができます。

　その他にも地域に向けた講演会やおやつの試食会、調理指導など、さまざまな支援の形が存在します。地域のニーズに応じて無理のない範囲で計画的に取り組みます。

　　メモ

🫖 食に関する相談援助

　保護者のなかには一人で不安を抱えていて、個別相談を希望される場合もあります。個別の相談を希望されたときは情報提供や助言・支援を行います。場合により、成長曲線のグラフを用意したり、日頃の食習慣の聞き取りを行い、それらをもとにアドバイスを行います。まずは、傾聴して保護者の真意をとらえ、状況や気持ちを受け止め、理解し、共感に基づいた説明や助言を行います。保護者自身が子育てを自ら実践する力を引き出すような言葉かけや接し方を心がけます。

　相談にあたっては、それぞれの家庭に合わせた無理のない提案をします。

　子どもの障害や発達上の課題に関する相談がある場合があります。保護者と相談のうえ、市町村や関係機関と連携や協力を図り、支援の仕方を共有します。保育所内では、ケース会議などを行い、情報を共有します。

　個別相談に応じるなかで、家庭で十分な食事を与えられていなかったり、むし歯の治療が行われていなかったりなど、適切な養育が行われていないと疑われる場合があります。

　まずは、保護者の話をよく聞いて、子どもに対してどのような支援ができるか、保育所全体で対応を検討・実施します。保育所での対応が難しい場合など、必要に応じて市町村または児童相談所に通告することも考慮します。その際には、プライバシーを保護し、知り得た事柄の秘密を保持します。

　リーダーは、園長とともに個別相談を担当した職員から相談内容や指導などの報告を受けましょう。場合により保育所では子どもに対してどのような援助ができるか共有を図りましょう。

■補足説明
食習慣調査の内容により日頃の実態を把握する。食事の状況（いつ、どこで、誰と食べるか、食べ方や食べさせ方など）、摂取状況（食事・おやつの内容、量や形状など）、嗜好（味つけや固さなど）。

メモ

🌱 欠食が目立つ子どもの家庭への支援としてどのようなものが考えられるか
検討しましょう。

_____

_____

_____

_____

🌱 ４歳で肥満の傾向がある子どもの保護者に個別指導を行うことになりまし
た。生活リズムに配慮したアドバイスとしてどのような提案が考えられま
すか。また、それを保護者にどのような言葉で伝えるか、具体的にあげて
みましょう。

_____

_____

_____

_____

メモ

- - - - - - - - - - - - - - - - - - - -

- - - - - - - - - - - - - - - - - - - -

- - - - - - - - - - - - - - - - - - - -

- - - - - - - - - - - - - - - - - - - -

- - - - - - - - - - - - - - - - - - - -

第 **4** 節　第4次食育推進基本計画

参照

農林水産省ホームページ「食育基本法・食育推進基本計画等」

この節のねらい

・第4次食育推進基本計画を説明できる

・第4次食育推進基本計画に示されている重点課題を保育所の状況に合わせて具体的に説明できる

・第4次食育推進基本計画を保育所で行う食育に活かすことができる

演習1　食品ロス削減に向けて、子どもや保護者に対する取組みを振り返ってみましょう。

演習2　食文化の継承として園ではどのような取組みをしているかまとめてみましょう。

第4次食育推進基本計画とは

　2005（平成17）年に制定された「食育基本法」に基づき、国はさまざまな形で食育の推進を行ってきました。しかしながら、わが国の食をめぐる環境は大き

メモ

く変化してきており、さまざまな課題を抱えています。近年の情勢を踏まえ、2021（令和3）年度から5年間には、第4次食育推進基本計画として基本的な方針が示されました。

🫖 第4次食育推進基本計画の重点事項（図2-6）

第3次食育推進基本計画の流れを踏まえつつ、第4次食育推進基本計画の基本的な方針となる重点事項は次のとおりです。

■重点事項1 生涯を通じた心身の健康を支える食育の推進

乳幼児期からバランスのとれた豊かな食生活と食への感謝の心をもつことは、生涯にわたって健康と人間性を育む基礎となります。保育所では、子どもの成長・発達に合わせて、健全な食生活が確立できるように食育を展開していきます。保護者にも、同様に健全な食生活が実践できる力を養います。

■重点事項2 持続可能な食を支える食育の推進

食べ物は、多くの生産者に支えられて食卓にたどり着きます。食の循環については、生産者との交流や栽培活動などから興味や理解を深めることができます。バイキングなどでバランスよく食べられる分だけを取り分ける体験を通して、自分の適量を知り、残さず食べることを伝えていきます。家庭には、食品ロス削減に向けて、食品の保存方法や食材を無駄なく活用できる料理のレシピなどが提案できます。

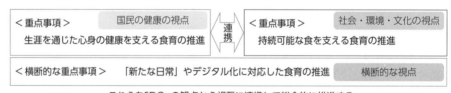

資料：農林水産省

図2-6 **第4次食育推進基本計画の基本的な方針（重点事項）**

___

メモ

SDGs（Sustainable Development Goals）の目標に向けた、食における行動変容が求められています。農林水産省では、食育の取組みについての情報発信および普及啓発を目的に「**食育ピクトグラム**」（図2-7）を作成しているので、広くSDGsを進めていきましょう。

資料：農林水産省

図2-7　持続可能な目標　食育ピクトグラム

■重点事項3「新たな日常」やデジタル化に対応した食育の推進

新型コロナウイルス感染症の流行により、「3密」を避けるなどの「新たな日常」を送る必要性が出てきました。保育所では、園児同士がかかわり合いながら活動して、お腹を空かせ、食事やおやつを楽しく食べること自体が食育ですから、「3密」を避けながら日々の食事を大切にします。

デジタル技術は、「新たな日常」において、食育を推進するツールとなります。保育所では、デジタル技術を活用して、保護者との情報共有をしたり、家庭との双方向のコミュニケーションを深めたりすることができます。また、離乳食や食事のつくり方、食事の際の言葉かけ等を動画にすることで、保護者支援につながります。新たな方法を模索していきましょう。

食育推進の目標の一部変更点

第3次食育推進基本計画の目標達成状況や第4次食育推進基本計画の主旨を踏まえて、食育推進の目標は一部変更されました（表2-2）。変更点を理解しなが

用語

SDGs
地球上のすべての人たちがよりよく暮らすために掲げられた行動計画。2030年までに経済、社会、環境の側面から持続可能でよりよい世界を目指す国際目標である。

用語

食育ピクトグラム
第4次食育推進基本計画でも重点事項に取り上げられている内容や普遍的に取り組むべき項目。食生活指針も参考にしている。

補足説明

連絡事項、成長曲線などをブログで保護者と共有、オンライン講座、食事のつくり方や生産者の紹介などの動画や写真紹介、作物の成育状況を中継するなど。

メモ

表 2-2　第 4 次食育推進基本計画の目標（一部変更点）

目標	具体的な目標	現状値 （令和 3 年度）	目標値 （令和 7 年度）
5	学校給食における地場産物を活用した取組み等を増やす		
	⑥栄養教諭による地場産物にかかる食に関する指導の平均取組み回数	月 9.1 回※	月 12 回以上
	新⑦学校給食における地場産物を使用する割合（金額ベース）を現状値（2019（令和元）年度）から維持・向上した都道府県の割合	—	90％以上
	新⑧学校給食における国産食材を使用する割合（金額ベース）を現状値（2019（令和元）年度）から維持・向上した都道府県の割合	—	90％以上
6	栄養バランスに配慮した食生活を実践する国民を増やす		
	⑪ 1 日当たりの食塩摂取量の平均値	10.1g※	8 g 以下
	⑫ 1 日当たりの野菜摂取量の平均値	280.5g※	350g 以上
	⑬ 1 日当たりの果物摂取量 100g 未満の者の割合	61.6％※	30％以下
11	産地や生産者を意識して農林水産物・食品を選ぶ国民を増やす		
	⑱産地や生産者を意識して農林水産物・食品を選ぶ国民の割合	73.5％	80％以上
12	環境に配慮した農林水産物・食品を選ぶ国民を増やす		
	⑲環境に配慮した農林水産物・食品を選ぶ国民の割合	67.1％	75％以上
14	地域や家庭で受け継がれてきた伝統的な料理や作法等を継承し、伝えている国民を増やす		
	㉒郷土料理や伝統料理を月 1 回以上食べている国民の割合	44.6％	50％以上

※は 2019（令和元）年度の数値
資料：農林水産省

ら目標値達成に向けて、保育所でもできることを家庭、地域の人たちと連携・協働しながら推進していきます。

■目標 5　学校給食における地場産物を活用した取組み等を増やす

　給食で地場産物などの活用を推進し、地域の自然や文化、産業、生産者と関連

> **メモ**
>
> ---
>
> ---
>
> ---
>
> ---

56

させた食育により理解を深めていきます。今回は、新たに目標値が追加されました。地場産物の生産量は地域間格差が大きいため、地域のなかで現行以上の推進を目指す観点からの目標となっています。

■目標6 栄養バランスに配慮した食生活を実践する国民を増やす

成人の達成できていない項目に関しては、食育の目標としても設定しています。例えば、1日に摂る塩分量は全体的に多いため、乳幼児期からの減塩を心がけます。給食の塩分を適塩に保つことはもちろんですが、家庭に向けても減塩の方法などを伝えましょう。

子どもたちの家庭での食事の記録や食べ方を見て、野菜や果物の量が不足しないこと、甘いものを摂りすぎないこと、脂肪の質と量を考えることなどの理解が深まるように、子どもには楽しく学ぶ機会をつくったり、給食だよりなどを通して保護者支援にも役立てましょう。

■目標11 産地や生産者を意識して農林水産物・食品を選ぶ国民を増やす

食べ物は、多くの生産者に支えられて食卓にたどり着きます。食の循環については、生産者との交流や栽培活動などから興味や理解を深めることができます。生産者を意識して「無駄なく使う」「感謝する」など自ら行動を起こすことです。自らの課題としてその将来を考え、主体的に支え合う行動を促していきます。

■目標12 環境に配慮した農林水産物・食品を選ぶ国民を増やす

たい肥づくり、水やり、虫よけ等の体験から、自然の恩恵のうえに食が成り立つことを認識することができます。ごみの分別などからも環境への負荷を減らし、持続可能な食料システムについて考えることにつながります。

■目標14 地域や家庭で受け継がれてきた伝統的な料理や作法等を継承し、伝えている国民を増やす

日本の食文化には、料理だけでなく、食材、食べ方、作法などさまざまな要素が含まれています。日本食への理解を深めるには、一汁三菜、郷土料理、行事食、

|補足説明▶
給食だよりは、子どもの日々の様子の伝達や収集をもとに保護者との相互理解を深め、保護者目線や家庭の実態に合わせて、実行可能な情報を提供できるように紙面の工夫などをする。簡単な朝食の用意、レシピ紹介など。

メモ

2
食育計画の作成と活用

旬の食材などの伝承を見直し、体験の場をつくります。背景にある意味や由来を子どもたちが食べる前や保護者にも伝えていきましょう。

地域の食育活動の展開には、国、地方公共団体、教育関係者、農林漁業者、食品関連事業者、ボランティア等、食育にかかわるさまざまな関係者との連携・協働が大切です。さまざまな人を招いて直接話を聞いたり体験することを通じて、保育所の日常生活にはない活動も期待できます。また、地域の食育情報を把握し、保護者に情報を提供して参加を促すことも大切です。

このように、食育は大きな視点で考えることが大切です。食育推進基本計画に沿って、保育所としては何ができるか考えながら、食育を推進していきましょう。

地域交流会(お祭り、餅つきなど)の参加や企画、鮮魚店・味噌生産者・レストランのシェフ、農家などとの交流から展開できることを考え実践する。魚の解体を見る、味噌やお菓子のつくり方を教わる、畑や田んぼでの手伝いなど。

メモ

≫ まとめの演習

地域の食育活動として、これまでに保育所ではどのような取組みをしてきましたか。また、今後、保育所としてはどのようなことができるか、行いたいかなどをまとめてください。

_____

_____

_____

_____

SDGs を意識した食育の推進として保育所で行っている活動をまとめてみましょう。さらに今後やってみたい持続可能な食を支える食育についてもまとめてください。

_____

_____

_____

_____

メモ

- -

- -

- -

- -

＜参考文献＞
近喰晴子、コンデックス情報研究所編著『こう変わる！ 新保育所保育指針』成美堂出版、2017 年
日本保育園保健協議会『保育保健における食育実践の手引き』2012 年
厚生労働省「日本人の食事摂取基準（2020 年版）」
「最新 保育士養成講座」総括編纂委員会編『最新 保育士養成講座 第 8 巻 子どもの食と栄養』全国社会福祉協議会、2019 年
児童育成協会監、堤ちはる・藤澤由美子編『新・基本保育シリーズ⑫ 子どもの食と栄養』中央法規出版、2019 年
堤ちはる・土井正子編著『子育て・子育ちを支援する 子どもの食と栄養 第 10 版』萌文書林、2021 年
松本峰雄監『子どもの食と栄養演習ブック』ミネルヴァ書房、2017 年
汐見稔幸監『イラストたっぷり やさしく読み解く 保育所保育指針ハンドブック』学研、2017 年
こども未来財団「保育所における食育の計画づくりガイド〜子どもが「食を営む力」の基礎を培うために」2007 年
農林水産省「第 4 次食育推進基本計画」2021 年（https://www.maff.go.jp/j/syokuiku/attach/pdf/kannrennhou-24.pdf）
農林水産省ホームページ「食育基本法・食育推進基本計画等」（https://www.maff.go.jp/j/syokuiku/kannrennhou.html）

▶ メモ

第 3 章

保育所における
食事の提供ガイドライン

保育所における 食事の提供ガイドラインの理解

- 「保育所保育指針」における"食育の推進"の位置づけを、ほかの職員に説明できる
- 保育所の食事提供形態が、自園調理、外部委託、外部搬入など多様化してきていることを、ほかの職員に説明できる
- 「保育所における食事の提供ガイドライン」作成に至る経緯を、ほかの職員に説明できる

演習1 あなたの勤務先の「食事の提供を通した食育」には、どのようなものがあるか、具体的に列挙してみましょう。

演習2 具体的に列挙した「食事の提供を通した食育」をグループで見せて、説明し、話し合ってみましょう。

演習3 「食事の提供を通した食育」の推進には、どのような工夫や配慮が必要なのか、自分の考えを書き、話し合ってみましょう。

メモ

子どもにとっての食事提供の意義

食べることは生きるための基本であり、子どもの健やかな心と体の発達には欠かせないものです。そのうえ、乳幼児期には味覚や食嗜好の基礎も培われ、それらは将来の食習慣にも影響を与えるために、この時期の食生活や栄養については、生涯を通じた健康、特に生活習慣病予防という長期的な視点からも考える必要があります。

また、何を食べるかとともに、食事を摂りながら、家族や友達と食べる楽しみの共有、調理の過程を日常的に見る・体験する、さまざまな食材に触れるなどの経験の積み重ねを通して、子どもは空腹のリズムをつかみ、心身を成長させ、五感を豊かにしていきます。また、このように周囲の人と関係しながら食事を摂ることにより、多様な食材や味覚を受け入れる柔軟性、食事づくりや準備への意欲、相手を思いやる配膳やマナーなど「食を営む力」の基礎が培われ、それをさらに発展させて「生きる力」につなげていきます。すなわち、食べるという行為を通してつくられる人間関係も子どもの心の育ちに影響することから、乳幼児期からの食事の提供を通して行う食育は極めて重要な意味をもちます。

「保育所における食事の提供ガイドライン」作成の経緯と意義

2009（平成 21）年 4 月に施行された旧・保育所保育指針では、「第 5 章　健康及び安全」のなかで、「食育の推進」を位置づけ、施設長の責任のもと、保育士、調理員、栄養士、看護師など全職員が協力し、各保育所の創意工夫のもとに食育を推進していくことが求められていました。

一方、保育所の食事提供形態は、自園調理が中心であるものの、外部委託や外部搬入など、多様化してきています。具体的には、調理業務の委託容認（1998（平成 10）年 4 月）、特区制度により公立で一定の条件を満たす場合に外部搬入容認（2004（平成 16）年 4 月）、公私立を問わず満 3 歳以上児に外部搬入容認、満 3 歳未満児は公立のみ特区申請をし、認定を受けた場合のみ外部搬入容認（2010（平成 22）年 6 月）のような経緯をたどっています。

メモ

参照

厚生労働省「保育所における食事の提供ガイドライン」2012年

このような状況を踏まえ、子どもの健康と安全の向上に資する観点から、保育所職員、保育所の施設長や行政の担当者など、保育所の食事の運営にかかわる人たちが、保育所における食事をより豊かなものにしていく参考となるよう、厚生労働省において「保育所における食事の提供ガイドライン」が2012（平成24）年に作成されました。本ガイドラインの全文は、厚生労働省のホームページに掲載されているので参照願います。

「保育所における食事の提供ガイドライン」の内容の主な項目とポイント

「保育所における食事の提供ガイドライン」は、以下に示す五つの項目から構成されており、具体的な助言が数多く掲載されています。

■子どもと保護者の食をめぐる現状

朝食欠食について

保護者と子どもの朝食欠食率は連動する結果が得られています[1]。また、朝食を摂取していても、その内容の栄養バランスにも配慮が必要です。ここに末子が1歳未満児の母親について、朝食に菓子を摂取する者の割合と、そのうち朝食を菓子だけですませる者の割合の調査結果を示します。乳児1人の場合は約12%、乳児に兄姉がいる場合には約8%、平均すると乳児の母親の約10%が、朝食に菓子を摂取していました（図3-1）。そのうちの約60%は朝食を菓子だけですませていました（図3-2）。育児で多忙とはいえ、自分の食生活をおろそかにしている母親が多い状況が推察されます。そこで、朝食を摂取している場合にも、その内容に配慮が求められます。

これらの結果は、「保育所における食事の提供ガイドライン」作成当時の状況ですが、近年でも、若い世代では他の世代に比べ朝食欠食割合が高く、栄養バランスに配慮した食生活をしている人が少ないなど、食生活に課題がみられています（図3-3）。また、保護者の朝食摂取頻度が、子どもの朝食摂取状況に影響することも示されています（図3-4）。この世代は今後親になったり、現在子育てをしていたりするので、食育が極めて重要です。

メモ

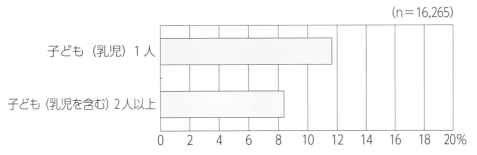

(n＝16,265)

出典：堤ちはるほか「妊産婦の食生活支援に関する研究(I)——妊娠中および出産後の食生活の現状について」『日本子ども家庭総合研究所紀要』第44集、93〜122頁、2007年

図 3-1　朝食に菓子を摂取する母親

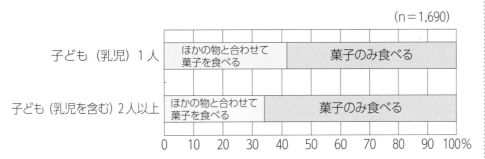

(n＝1,690)

出典：図 3-1 と同じ

図 3-2　朝食を菓子だけですませる母親

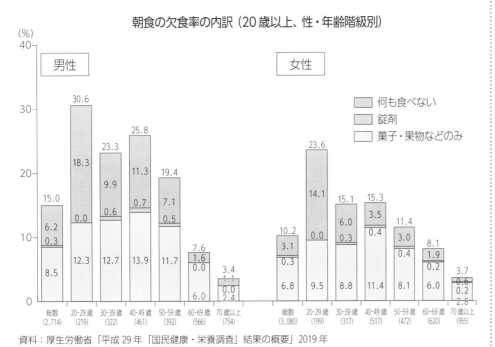

資料：厚生労働省「平成 29 年「国民健康・栄養調査」結果の概要」2019 年

図 3-3　朝食欠食に関する状況

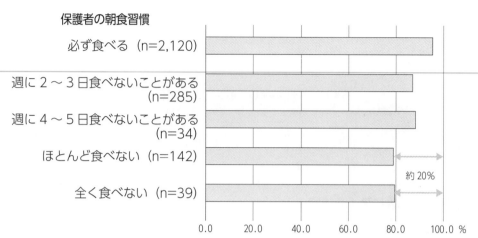

資料：厚生労働省「平成 27 年度乳幼児栄養調査結果の概要」2016 年を一部改変

図 3-4　**保護者の朝食習慣別　朝食を必ず食べる子どもの割合**

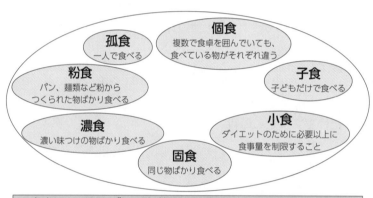

食事は、エネルギーや栄養素の補給の場、家族や友人等との
コミュニケーションの場、マナーを身につける教育の場でもある。

資料：堤ちはる、日本子ども家庭総合研究所、2011 年
出典：厚生労働省「保育所における食事の提供ガイドライン」3 頁、2012 年

図 3-5　**避けたい七つの「こ食」**

メモ

さまざまな「こ食」

　家族で食卓を囲み、心ふれ合う団らんの場をもつことは、心身の健康の保持・増進に重要な役割をもちます。しかし、近年は労働環境の変化、家族の生活時間帯の夜型化、食事に対する価値観の多様化などにより、家族や友人など誰かと食事を共にする（共食）機会が減少しています。そのために、さまざまな「こ食」が問題となっています（図 3 - 5）。「こ食」では、栄養バランスがとりにくい、食嗜好が偏りがちになる、コミュニケーション能力が育ちにくい、食事のマナーが伝わりにくいなど、食に関する問題点を増加させる環境要因となっています。

■保育所の食事の提供の現状

　厚生労働省の全国調査では、食事の提供形態は、「自園調理」がほとんどで、「**外部委託**」「3 歳未満児を含む外部搬入（特区）」「3 歳児以上のみ外部搬入」は少なかったです（図 3 - 6）。

　外部搬入実施理由は、「コスト削減のため」「準備（材料の仕入れ等）の軽減のため」「施設の老朽化のため」「給食メニューの多様化を図るため」「その他」でした（図 3 - 7）。「給食メニューの多様化を図るため」の理由からは、よりよい給食のためには、自園調理でも業務改善を図る必要があることが示されました。

　「その他」の意見で主なものは、「施設を一体利用している幼稚園において、学校給食の搬入をすることとなり、保育園児の 4、5 歳児も外部搬入を実施するため」「幼稚園と合同保育を実施しているため」という幼稚園との関係、および「定員増で調理場が狭くなったため」「保育所内の調理施設が広さ、設備とも十分でないため」と施設・設備の理由が多かったです。

　これらの結果を踏まえて 2012（平成 24）年に「保育所における食事の提供ガイドライン」が作成されました。その後実施された 2016（平成 28）年度厚生労働省委託事業「保育所等における食事提供体制に係る調査研究事業」においても、2017（平成 29）年 3 月にまとめられた報告書に、同様の傾向の結果が記載されています。

用語

外部委託
外部の人材により自園の施設を用いて調理を行うもの。

メモ

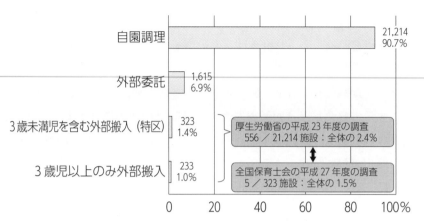

注：調査対象：都道府県・指定都市・中核市　計107自治体、23,385施設
　　調査期間：2011（平成23）年10月14日～11月4日、回収率：100%
出典：図3-5と同じ、10頁に一部加筆

図 3-6　保育所の食事の提供形態

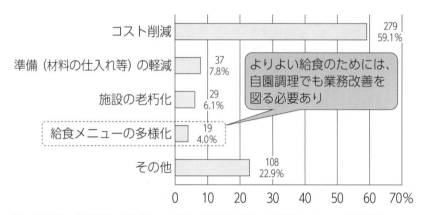

注：調査対象：都道府県・指定都市・中核市　計107自治体、外部搬入をしている556施設
　　調査期間：2011（平成23）年10月14日～11月4日、回収率：100%
出典：図3-5と同じ、10頁に一部加筆

図 3-7　外部搬入を実施した理由

■保育所の食事の提供の具体的なあり方

発育・発達のための役割

　身体発育、食べる機能の発達（摂食・嚥下機能、食行動、味覚など）、精神の発達、食事でのやりとりにより、安心感、信頼感が育まれ、感情、自我、社会性

メモ

が発達します。安心感や基本的信頼感のもとに、自分でできること、したいことを増やし、達成感や満足感を味わいながら、自分への自信を深めていくことが大切です。そのためには、家庭と保育所の連携が重要であり、生活のなかで親子が食事を楽しめるようにしていきます。

教育的役割

保育所保育指針（平成29年厚生労働省告示第117号）には、「第3章　健康及び安全」に「食育の推進」が明記されています。保育所が推進すべき食育とは、「食」を通じた子どもの健全育成であり、「食」を提供する取組みはその軸となるものです。したがって、保育所における食事の提供は、食育の一環として、子どもの健全な成長・発達に寄与・貢献するという視点をもち、取り組むことが大切です。

保護者支援の役割

入所児童の保護者には、個々の家庭での食事内容を把握した支援や保育所と家庭の食事の考え方への共通理解を促すことが求められます。また、心のこもった食事を提供することの意味や食事をつくること、食べることの楽しさを保護者に伝えることも必要です。

地域の児童の保護者支援には、身近にある保育所の機能や専門性を活用して、献立表の掲示、離乳食・幼児食等の相談などを行います。さらに、ほかの子どもの様子を見ることができるように施設開放、体験保育などや、地域の子育て家庭同士の交流の場を提供し、子育ての不安感、負担感の軽減、地域の親子の孤立化防止も図ります。

■保育所の食事の提供の評価（チェックリスト）

子どもの最善の利益を考慮し、子どもの健全な心身の発達を図るための食事提供のあり方（実践・運営面）についての評価内容を示しています。詳細は第2節を参照願います。

メモ

■好事例集

　各地の保育所や行政機関における食事の提供の好事例として、自園調理の取組み、保育所給食を主管する行政栄養士による取組み、外部委託にあたって給食の質を確保するための方策、外部搬入にあたって食事の提供の質を確保するための方策（3歳未満児と3歳以上児での対応の違い）が掲載されています。

≫ まとめの演習

 厚生労働省の調査結果にみる外部搬入による保育所の食事提供で配慮すべき点をあげました。例えば「一人ひとりへの柔軟な対応が困難」について、自園調理の保育所では「一人ひとりへの柔軟な対応ができているか」というように、それぞれ配慮されているか確認してみましょう。

厚生労働省の調査結果にみる外部搬入による保育所の食事提供で配慮すべき点

> A．調理、個別対応の観点
> ・一人ひとりへの柔軟な対応が困難
> ・一番おいしい状態（できたて）での提供が困難
> ・搬入後に保育所で手を加えることがある（衛生面での心配）
> ・緊急時（地震等）、保育所に食べ物がなく食事提供ができない　など
> B．食育の推進の観点
> ・調理過程が見えない、五感（香り、音など）で感じにくい
> ・調理員・栄養士に食に関する行事や保育にかかわってもらえない
> ・時間に融通性がなく、子どもの活動に合わせられない
> ・調理員・栄養士が喫食状況を見ていない　など
> C．職員間の連携
> ・保育所（子ども、保護者も含む）の声が伝わりにくい
> ・食育の共通理解が得にくい　など

厚生労働省「保育所における食事の提供ガイドライン」2012年をもとに著者作成

メモ

_____

_____

_____

_____

🌱 あなたの勤務先の職員全員が「保育所における食事の提供ガイドライン」の主な内容を理解し、それを保育に活かしてもらうようにするためには、どのような方法が効果的であると思いますか。具体例をあげて検討してみましょう。

_____

_____

_____

_____

メモ

第 **2** 節 食事の提供における質の向上

・食事の提供における質の向上に関係する要因について、ほかの職員に説明できる

・「食の提供における質の向上のためのチェックリスト」を使って、あなたの勤務先の食の評価をほかの職員に説明できる

・評価後は、その原因や課題を明確にし、改善するための方法を見出し、ほかの職員に説明できる

演習 1　「食事の提供における質の向上」でイメージできることは何か、グループで話し合ってみましょう。

演習 2　食事の提供のときに、あなたが心がけていることを書き出し、グループで見せて話し合ってみましょう。

演習 3　「食事の提供の評価」といわれてイメージできることを書き出し、グループで見せて話し合ってみましょう。

メモ

🫖 食事の提供の留意事項

■栄養面について

保育所では、一人ひとりの子どもの発育・発達状況、栄養状況、家庭での生活状況などを把握したうえで、一日の生活のなかで保育所の食事をとらえ、各保育所における食事計画を立て、それに基づいて作成された献立どおりに食事を提供することにより、子どもの栄養管理を行っています。食事の提供が適切に行われたか、喫食状況、子どもの発育・発達状況等を総合的に観察し、食事の計画・評価を行うことが必要です。

保育所における食事の提供は、個々人への対応や家庭との連携など、施設全体で取り組むことが重要であり、施設に管理栄養士・栄養士が配置されている場合は栄養士（管理栄養士を含む、以下同じ）が中心となり定期的に栄養状態の評価を行い、食事計画の確認、見直しが必要です。栄養士が未配置の場合は、自治体の児童福祉施設所管課、または市町村保健福祉センター栄養士との連携により、定期的な食事計画の見直しを行います。

■衛生面について

安全性の高い品質管理に努めた食事を提供するため、食材、調理食品の衛生管理、保管時や調理後の温度管理の徹底、施設・設備の衛生面への留意と保守点検、検査、保存食の管理を行い、衛生管理体制を確立させることが必要です。児童福祉施設等では、「大量調理施設衛生管理マニュアル」（平成 9 年 3 月 24 日衛食第 85 号別添、最終改正：平成 29 年 6 月 16 日生食発 0616 第 1 号）に基づいた衛生管理体制を徹底することとされており、各調理工程の標準作業手順に基づき作業を進め、原材料・温度・時間等を確認し記録することが求められます。

また、保育所は低年齢である乳幼児を対象としていることから、衛生的に配慮された食事の提供には、食事介助にあたる保育者についても調理従事者に準じた衛生管理・健康管理への配慮が必要です。

さらに、子ども自身が衛生的に配慮された食事であることを認識し、食事の場面でも衛生的に注意が必要であること、自分でも気をつけられるようになること

メモ

を目指した指導計画が求められます。特に、子どもが調理をする場合は、衛生面、安全面に十分に配慮します。

■保育との連携について

　保育の一環として食育を推進するうえで、毎日の食事の提供も保育と連動して取り組むことが重要です。そのため食事づくりにかかわる調理員や栄養士は、常に子どもの保育にかかわるすべての職員と連携し、その業務を遂行することが求められます。

　調理員や栄養士など食事づくりにかかわる人が、厨房から出て、子どもの食事の様子を観察することで得られるものを以下に列挙しました。これらの実践により、食事の提供における質の向上が可能となります。

食の進み具合の本当の理由がわかる

　①その日の体調、②午前中の運動量など食事までの空腹の程度、③調理過程へのかかわりの有無、④料理の見た目（形、においなど）、⑤食べた経験があるかどうかによる「おいしさ」への見通し、⑥仲間と一緒に食べることの影響、⑦その日の気候の影響（蒸し暑い、肌寒い等）などがわかります。

子どもの食への関心度がわかる

　食事中の会話により、家庭での食事の様子、関心をもつ食べ物、栽培保育の植物の種類など、献立づくりや行事食、調理保育の計画を子どもと話し合いながらつくることが可能となります。

食事の進み具合の原因を探り、次に活かせる

　食事の進み具合、食べ具合を把握し、献立の改善を図るとき、同じ献立でありながら、味つけ、色合い、盛りつけ方法を少し変えることで結果が変わることがあります（例：2週間ごとのサイクルメニューの活用など）。

メモ

食育の計画の作成と位置づけ

　保育所保育指針において食育の位置づけは、「食育計画を全体的な計画に基づいて作成し」と"保育の一環としての食育実践"が強調されています。そこで、食育の計画の作成作業には、保育所の全職員が参画することが求められています。

保育所における食事の提供の評価

　食事の提供の評価の目的は、より豊かな「食」の質の充実を目指すことです。保育所の「食」の質は、保育の質として重要な位置づけであり、自園調理、外部委託、外部搬入にかかわらず担保される必要があります。

　「保育所における食事の提供ガイドライン」には、10項目からなる「食の提供における質の向上のためのチェックリスト」が掲載されています（表3-1）。そこで本ガイドラインの趣旨をよく理解し、評価のポイントとしてあげられている項目（表3-2）を参考にして保育所における取組み、これから計画を行う食事の提供の方法、内容の評価をします。評価は、1．よくできている、2．できている、3．少しできている、4．あまりできていない、5．できていない、の5段階で行います。

　なお、評価後は、その原因や課題を明確にし、保育所や行政、関係者（業者等）で検討を行い、それを改善するための方法を見出し、共有できるようにします。さらに、共有したことが実践されているかどうか、定期的に振り返ることが大切です。

メモ

表 3-1　食の提供における質の向上のためのチェックリスト

本ガイドラインの趣旨をよく理解し、評価のポイントとしてあげられている項目を参考にし、評価すること

	評価項目	評価					課題・改善が必要なこと
1	保育所の理念、目指す子どもの姿に基づいた「食育の計画」を作成しているか	1	2	3	4	5	
2	調理員や栄養士の役割が明確になっているか	1	2	3	4	5	
3	乳幼児期の発育・発達に応じた食事の提供になっているか	1	2	3	4	5	
4	子どもの生活や心身の状況に合わせて食事が提供されているか	1	2	3	4	5	
5	子どもの食事環境や食事の提供方法が適切か	1	2	3	4	5	
6	保育所の日常生活において、「食」を感じる環境が整っているか	1	2	3	4	5	
7	食育の活動や行事について、配慮がされているか	1	2	3	4	5	
8	食を通した保護者への支援がされているか	1	2	3	4	5	
9	地域の保護者に対して、育児に関する支援ができているか	1	2	3	4	5	
10	保育所と関係機関との連携がとれているか	1	2	3	4	5	

1：よくできている　2：できている　3：少しできている　4：あまりできていない　5：できていない

出典：図 3-5 と同じ、64 頁

メモ

表 3-2　評価のポイント

1．保育所の理念、目指す子どもの姿に基づいた「食育の計画」を作成しているか
・保育の理念に基づいた全体的な計画や指導計画に「食育の計画」が位置付いている。
・「食育の計画」が全職員間で共有されている。
・食に関する豊かな体験ができるような「食育の計画」となっている。
・食育の計画に基づいた食事の提供・食育の実践を行い、その評価改善を行っている。
2．調理員や栄養士の役割が明確になっているか
・食に関わる人（調理員、栄養士）が、子どもの食事の状況をみている。
・食に関わる人（調理員、栄養士）が保育内容を理解して、献立作成や食事の提供を行っている。
・喫食状況、残食（個人と集団）などの評価を踏まえて調理を工夫している。また、それが明確にされている。
3．乳幼児期の発育・発達に応じた食事の提供になっているか
・年齢や個人差に応じた食事の提供がされている。
・子どもの発達に応じた食具を使用している。
・保護者と連携し、発育・発達の段階に応じて離乳を進めている。
・特別な配慮が必要な子どもの状況に合わせた食事提供がされている。
4．子どもの生活や心身の状況に合わせて食事が提供されているか
・食事をする場所は衛生的に管理されている。
・落ち着いて食事のできる環境となっている。
・子どもの生活リズムや日々の保育の状況に合わせて、柔軟に食事の提供がされている。
5．子どもの食事環境や食事の提供の方法が適切か
・衛生的な食事の提供が行われている。
・大人や友達と、一緒に食事を楽しんでいる。
・食事のスタイルに工夫がなされている（時には外で食べるなど）。
・温かい物、できたての物など、子どもに最も良い状態で食事が提供されている。
6．保育所の日常生活において、「食」を感じる環境が整っているか
・食事をつくるプロセス、調理をする人の姿にふれることができる。
・食事を通して五感が豊かに育つような配慮がされている。
・身近な大人や友達と「食」を話題にする環境が整っている。
・食材にふれる活動を取り入れている。
7．食育の活動や行事について、配慮がされているか
・本物の食材にふれる、学ぶ機会がある。
・子どもが「食」に関わる活動を取り入れている。
・食の文化が継承できるような活動を行っている。
・行事食を通して、季節を感じたり、季節の食材を知ることができる。
8．食を通した保護者への支援がされているか
・一人一人の家庭での食事の状況を把握している。
・乳幼児期の「食」の大切さを保護者に伝えている。
・保育所で配慮していることを、試食会やサンプルを通して伝え、関心を促している。
・レシピや調理方法を知らせる等、保護者が家庭でもできるような具体的な情報提供を行っている。
・保護者の不安を解消したり、相談に対応できる体制が整っている。
9．地域の保護者に対して、食育に関する支援ができているか
・地域の保護者の不安解消や相談に対応できる体制が整っている。
・地域の保護者に向けて、「食」への意識が高まるような支援を行っている。
・地域の子育て支援の関係機関と連携して、情報発信や情報交換、講座の開催、試食会などを行っている。
10．保育所と関係機関との連携がとれているか
・行政担当者は、保育所の現状、意向を理解している。
・外部委託、外部搬入を行う際は、行政担当者や関係業者と十分に話し合い、保育所の意向を書類に反映させ、実践している。
・小学校と連携し、子どもの食育の連続性に配慮している。
・保育所の「食」の質の向上のために、保健所、医療機関等、地域の他機関と連携が図れている。

1．よくできている、2．できている、3．少しできている、4．あまりできていない、5．できていない、の5段階で評価

出典：図3-5と同じ、61〜63頁

🌱 「食の提供における質の向上のためのチェックリスト」（表3-1）、「評価の
ポイント」（表3-2）を使って各施設の状況を評価してみましょう。

_____

_____

_____

_____

🌱 上の演習で評価した項目のうち、課題や改善が必要なことがあれば、具体
的な改善策などについて話し合ってみましょう。

_____

_____

_____

_____

メモ

- -

- -

- -

- -

- -

<引用文献>
1）厚生労働省「平成 27 年度乳幼児栄養調査結果の概要」19 頁、2016 年

<参考文献>
厚生労働省「保育所における食事の提供ガイドライン」2012 年（https://www.mhlw.go.jp/bunya/kodomo/pdf/shokujiguide.pdf）
「保育所保育指針」（平成 29 年厚生労働省告示第 117 号）
汐見稔幸監『保育所保育指針ハンドブック 2017 年　告示版』学研教育みらい、2017 年
汐見稔幸編著『平成 29 年告示 保育所保育指針　まるわかりガイド』チャイルド本社、2017 年
堤ちはる・土井正子編著『子育て・子育ちを支援する 子どもの食と栄養 第 10 版』萌文書林、2021 年
「最新 保育士養成講座」総括編纂委員会編『最新 保育士養成講座 第 8 巻　子どもの食と栄養』全国社会福祉協議会、2019 年
児童育成協会監、堤ちはる・藤澤由美子編『新・基本保育シリーズ⑫　子どもの食と栄養』中央法規出版、2019 年
「大量調理施設衛生管理マニュアル」（平成 9 年 3 月 24 日衛食第 85 号別添、最終改正：平成 29 年 6 月 16 日生食発 0616 第 1 号）
厚生労働省「保育所等における食事提供体制に係る調査研究事業 報告書」2019 年

メモ

第 4 章

アレルギー疾患と保育所におけるアレルギー対応ガイドラインの理解

気管支喘息
（気管支喘息発作時の対応を含む）

🔍参照

厚生労働省「保育所におけるアレルギー対応ガイドライン（2019年改訂版）」（以下「ガイドライン」）47頁

この節のねらい

- 気管支喘息の基本的事項、悪化因子、長期管理について理解し、ほかの職員に説明できる

- 気管支喘息発作の判断、対応を理解し、ほかの職員に説明できる

- 保育所におけるアレルギー疾患生活管理指導表に記載された内容を理解し、対応を保護者と相談できる

演習1 あなたがもつ気管支喘息のイメージを、言葉や絵を使って描いてみましょう。

演習2 描いたイメージをグループで発表し、意見交換してみましょう。

演習3 気管支喘息の子どもへの対応の必要性について、自分の考えを書き、話し合ってみましょう。

メモ

気管支喘息とは

　気管支喘息（図4-1）は、主にアレルギーが原因となって気管支で慢性的に炎症が起こります。その結果、気管支が過敏となり、風邪や運動など種々の刺激をきっかけに咳き込んだり、ゼーゼー・ヒューヒューして息が苦しくなります。また、慢性的に炎症が続くと、**気道リモデリング**と呼ばれる変化が気管支に生じ、狭くなった気管支は元に戻らなくなることがあります。

　気管支喘息の発症には、アレルギー体質などの遺伝的な因子と、ホコリやダニなどのアレルギーの原因になる物質（**アレルゲン**）や感染、大気汚染などが関係します。2014（平成26）年の全国調査では3歳の子どもの8.5%に気管支喘息があることがわかっています[1]。

気管支喘息の原因、悪化因子

　小児の気管支喘息は、90%以上でアトピー素因があるといわれています。アトピー素因とは、IgEを産生しやすく、環境中の抗原に対してIgEを産生しやすい体質のこと、または本人もしくは親兄弟に気管支喘息やアトピー性皮膚炎、アレルギー性鼻炎などのアレルギー性疾患があることをいい、アレルギー体質と同じ意味です。喘息はホコリやダニ等の悪化因子を吸い込み続けることで、気道でアレルギー反応が生じ、それが慢性的な炎症につながり、悪化していきます。

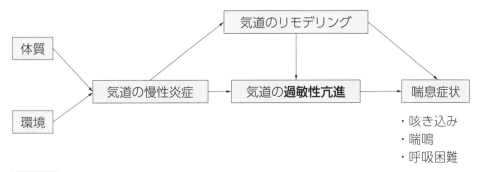

図 4-1　気管支喘息のイメージ

参照

ガイドライン47頁

用語

気道リモデリング
気道の炎症が続くことで気道の壁が固くなり、その結果、喘息の重症化が進むこと。

用語

アレルゲン
アレルギーの原因になる物質のこと。

用語

IgE
免疫グロブリンといういうたんぱく質の一種。アレルギー反応を媒介する。

補足説明

気道に異物が入ったときに生じる生体の防御反応として、咳き込んで排出しようとする咳嗽、気道を収縮させて侵入を防ぐ気道狭窄、異物を洗い流そうとする気道分泌（痰）が、風邪などの軽い気道感染や冷気、運動による過換気などに対して必要以上に生じてしまう状態。

アレルギー疾患と保育所におけるアレルギー対応ガイドラインの理解

メモ

喘息の重症化や喘息発作の原因になる悪化因子は、チリダニや犬や猫などの動物の毛やフケなどのアレルゲン、風邪などの気道感染、受動喫煙、大気汚染、運動などがあります。喘息への対応としてこの悪化因子を避けることが重要です。

　運動が悪化因子となり発作が出ることを特に運動誘発喘息と呼びます。この場合は、運動を制限するよりも予防的な治療（後述）をしっかりと行うことが勧められます。

🫖 気管支喘息の対応

　気管支喘息の治療は、発作（咳込み、喘鳴、呼吸困難など）に対する治療と、背景にある慢性炎症に対する予防的な治療の二つに分けられます。発作に対する治療薬を発作治療薬、予防的に使用する薬を長期管理薬といいます。長期管理薬は気道の慢性炎症に対する治療薬で、悪化防止のために長期間継続する必要があります。

🔍参照

ガイドライン49頁

　保育所においては、アレルギー疾患生活管理指導表（表4-1）などにより、子どもの気管支喘息の症状のコントロール状態を把握したうえで、発作時の対応と生活上の留意点を決定し対応していく必要があります。

　コントロール状態は、「軽微な症状」「あきらかな急性増悪（発作）」「日常生活の制限」「β_2刺激薬の使用」で評価されます。「比較的良好」や「不良」と評価されている子どもにおいては、日常生活でも慎重に対応することが求められます（表4-2）。

■気管支喘息の予防

　気管支喘息は前述のようにホコリやダニを吸い込み続けることによる気道の慢性炎症が根底にあるため、保育所での生活環境においては保育室を中心とした床等のホコリの管理と寝具の使用に関して留意する必要があります。ダニが増殖することを防ぐため、床等の掃除を念入りに行うことが必要です。また、寝具を清潔に保つような工夫をすることはもちろんですが、ダニを通過させないよう高密度で織られた防ダニシーツの使用なども検討します。動物へのアレルギーが気管支喘息発作となるような場合もあるので、必要があれば動物との接触を避けるよ

メモ

う配慮も必要となります。

　これら個別の対応が必要となる際には、保護者の申告のみによるのではなく、生活管理指導表など医師の診断をもとに対応することが重要です。

表4-1　保育所におけるアレルギー疾患生活管理指導表（気管支喘息）

		病型・治療	保育所での生活上の留意点
気管支喘息	（あり・なし）	A．症状のコントロール状態 　1．良好 　2．比較的良好 　3．不良	A．寝具に関して 　1．管理不要 　2．防ダニシーツ等の使用 　3．その他の管理が必要（　　　　　）
		B．長期管理薬 　（短期追加治療薬を含む） 　1．ステロイド吸入薬 　　　剤形： 　　　投与量（日）： 　2．ロイコトリエン受容体拮抗薬 　3．DSCG吸入薬 　4．ベータ刺激薬（内服・貼付薬） 　5．その他（　　　　　）	B．動物との接触 　1．管理不要 　2．動物への反応が強いため不可 　　　動物名（　　　　　　　　） 　3．飼育活動等の制限（　　　　　） C．外遊び、運動に対する配慮 　1．管理不要 　2．管理必要 　　（管理内容：　　　　　　　　）
		C．急性増悪（発作）治療薬 　1．ベータ刺激薬吸入 　2．ベータ刺激薬内服 　3．その他	
		D．急性増悪（発作）時の対応 　　　　　　　　（自由記載）	D．特記事項 　（その他に特別な配慮や管理が必要な事項がある場合には、医師が保護者と相談のうえ記載。対応内容は保育所が保護者と相談のうえ決定）

出典：厚生労働省「保育所におけるアレルギー対応ガイドライン（2019年改訂版）」2019年

メモ

表 4-2　ぜん息コントロール状態の評価

評価項目	コントロール状態（最近 1 か月程度）		
	良好 （すべての項目が該当）	比較的良好	不良 （いずれかの項目が該当）
軽微な症状※1	なし	（≧1回／月）<1回／週	≧1回／週
明らかな急性増悪 （発作）※2	なし	なし	≧1回／月
日常生活の制限	なし	なし（あっても軽微）	≧1回／月
β_2刺激薬の使用	なし	（≧1回／月）<1回／週	≧1回／週

＊1：軽微な症状とは、運動や大笑い、啼泣の後や起床時などに一過性に認められるがすぐに
　　消失する咳や喘鳴、短時間で覚醒することのない夜間の咳き込みなど、見落とされがち
　　な軽い症状を指す。
＊2：明らかな急性増悪（発作）とは、咳き込みや喘鳴が昼夜にわたって持続あるいは反復し、
　　呼吸困難を伴う定型的な喘息症状を指す。
出典：日本小児アレルギー学会、足立雄一ほか監『小児気管支喘息治療・管理ガイドライン2020』協和企画、
　　127頁、2020年を一部改変

■気管支喘息発作への対応

　保育所などの集団生活をしている最中にも気管支喘息発作を生じることがあります。また、気管支喘息発作の強度は変化することがあるため、朝は少し咳が出ていた程度であったものが、保育所で過ごしている間に咳込みや喘鳴、呼吸困難を生じることもあります。これまで気管支喘息の診断を受けていない子どもが保育所で初めて喘息発作を生じることもあるため、職員は発作について十分に理解しておくことが望まれます。

　喘息発作への対応ではまず、発作の強さを判定し、緊急性が高い状況かを判断します。言語による表現が未熟な乳幼児においては、本人の訴えに基づいて対応を決定することは難しいため、強い喘息発作のサイン（表4-3）のうちどれか一つでもあれば緊急性が高い状況と判断します。この場合は救急要請をしてでも速やかに医療機関を受診する必要があります。

　強い喘息発作のサインがない場合は、保育所において気管支拡張薬（吸入薬や内服薬）の投与が可能ならば、事前の打合わせに準じ保護者との連絡の下で使用

メモ

表4-3　強い喘息発作のサイン（どれか一つでもあれば）

・遊べない、話せない、歩けない
・食べれない
・眠れない
・顔色が悪い
・ぼーっとまたは興奮している
・強いゼーゼー
・ろっ骨の間がはっきりとへこむ
・脈がとても速い

出典：独立行政法人環境再生保全機構「おしえて先生！子どものぜん息ハンドブック」2016年

参照

ガイドライン53頁

します。気管支拡張薬を使用した場合は、効果がみられるタイミングで改善したかどうかの判定を行います。効果判定のタイミングは吸入薬は15分後、内服薬は30分後です。気管支拡張薬を使用後も症状の改善が不十分な場合は、医療機関への受診が勧められます。症状が改善した場合も観察を慎重に行います。その他に保育所でできる対応として、直前の行動を中断して休ませる、衣服を緩めて呼吸運動がスムーズに行えるようにする、水分を適宜とらせるなどの対応が考えられますが、保護者、主治医と十分に連絡をとり、保育所で無理な対応をすることなく、適切なタイミングで医療機関を受診できるように努めます。

対応の決定について

　事前に気管支喘息があることがわかっている場合は、個々の状況に応じて無理のない範囲で、保育所におけるアレルギー対応ガイドラインに基づいた対応を行います。この際、できるだけ保護者からの申告のみによるのではなく、医師の診断のもとに行うことが重要であり、保育所におけるアレルギー疾患生活管理指導表などを活用します。

4

アレルギー疾患と保育所におけるアレルギー対応ガイドラインの理解

メモ

≫ まとめの演習

🌱 気管支喘息があるとわかっている子どもを受け入れる場合の準備について
まとめてみましょう。

_____

_____

_____

_____

🌱 気管支喘息発作への対応について、発作強度の判定から初期対応、保護者
への連絡、病院への搬送など、ロールプレイによるシミュレーションをし
てみましょう。

_____

_____

_____

_____

メモ

- -

- -

- -

- -

第 2 節 アトピー性皮膚炎

この節のねらい

・アトピー性皮膚炎の定義、病態、治療について理解し、ほかの職員に説明できる

・アトピー性皮膚炎の子どもの保育に必要な知識を理解し、ほかの職員に説明できる

・生活管理指導表の、アトピー性皮膚炎に関する記載事項を理解し、ほかの職員に説明できる

Q 参照

ガイドライン 9 頁

演習 1 現在、あなたが勤務する保育所で、アトピー性皮膚炎の子どもについて配慮していることは何ですか。

演習 2 かゆみを強く訴える子どもがいた場合に、あなたはどのような対応を行いますか。

メモ

🫖 アトピー性皮膚炎の定義

　アトピー性皮膚炎は、皮膚に紅斑、丘疹、浸潤、落屑、苔癬化（図4-2）などの、かゆみのある湿疹が、慢性的に悪くなったりよくなったりを繰り返す疾患です。多くの人はアトピー素因（83頁参照）をもっています。アトピー性皮膚炎において、慢性的とは、乳児では2か月以上、それ以外では症状が6か月以上継続している状態を指します。かゆみのある湿疹は、おおよそ左右対称に現れることが特徴で、乳児では顔や首、頭によく現れ、次第に胸や背中、四肢の関節部などに広がります。幼児や学童では首のまわり、臀部や肘の内側や膝の裏側に多く見られるようになります。

　アトピー性皮膚炎の乳幼児期における有病率は10%程度と報告され、保育所でよく遭遇する疾患の一つです。さらにアトピー性皮膚炎では、かゆみ、生活制限によるストレス、美容面などの問題により、子どもや家族のQOL（生活の質）を大きく低下させる場合があります。そのため、乳幼児期の子どもに接する機会の多い保育士等にとって、この疾患に関する正しい知識や、保育所における適切な対応を理解することは大変重要です。

🫖 アトピー性皮膚炎の病態

🔍参照

ガイドライン57頁

　アトピー性皮膚炎では、皮膚の乾燥や炎症により、かゆみを生じることが特徴です。正常な皮膚では、環境中のさまざまな刺激から体の内部を守り、また体内の水分が蒸発することを防いでいます。その一番外側ではたらいているのが角層と呼ばれる部分で、そのはたらきはバリア機能と呼ばれます。アトピー性皮膚炎の皮膚は、このバリア機能が低下しています。それは、皮膚炎があるところだけでなく、一見正常に見えるところでも健康な人の皮膚に比べて低下しています。アトピー性皮膚炎が乳幼児に多いのは、皮膚の機能が十分に発達していないため、成人と比べてバリア機能に異常が起こりやすいからと考えられています。

　最近では、アトピー性皮膚炎患者のなかには、角層の一部のたんぱく質の遺伝子に変異があり、その機能が低くなっている人が少なからずいることも明らかになってきました。つまり、アトピー性皮膚炎は生まれつきアレルギー反応を生じ

メモ

やすく、また皮膚のバリア機能が低下しているところにさまざまな刺激やアレルゲンが加わって皮膚炎を生じ、さらに掻き壊しによるバリア機能低下が加わり、皮膚炎が悪化するという悪循環を繰り返している病態と考えられます。

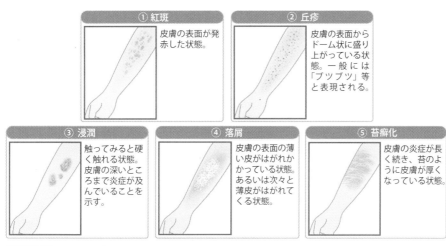

図 4-2 さまざまな皮疹の状態

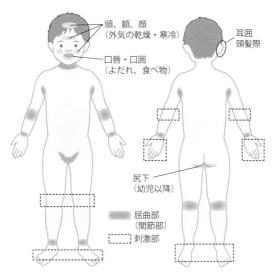

出典：日本アレルギー学会、片山一朗監『アトピー性皮膚炎診療ガイドライン 2015』協和企画、36 頁、2015 年

図 4-3 皮膚症状が現れやすい場所

メモ

🫖 アトピー性皮膚炎の重症度

　アトピー性皮膚炎は、症状の程度と範囲の広さによって重症度の分類がなされています。重症であればあるほど、保育所での取組みが必要となるため、個々の子どもの重症度を把握しておくことが大切です。

　アトピー性皮膚炎の重症度は、専門的には症状の現れている範囲と、局所における皮膚炎の状態や程度により評価されます。簡便には、強い炎症を伴う部位が体表面積の10％以上に見られる場合は重症、30％以上に見られる場合は最重症と分類されます（表4-4）。軽症、中等症、重症、最重症となるにつれて、強いかゆみがより広い範囲に見られることになります。

　軽症の場合、多くは家庭での皮膚の清潔や保湿といったスキンケアにより、保育所での特別な対策は必要ありません。しかし、重症、最重症では、夜間にかゆみのために眠れなくなり、昼間もかゆくて機嫌が悪くなることで、ほかの子どもたちと同じように行動できなくなることにもつながります。このため、重症の子どもには家庭だけでなく保育所での対策やケアが必要な場合があります。

🫖 アトピー性皮膚炎の治療

　アトピー性皮膚炎では、炎症のない皮膚の状態を維持して皮膚バリア機能を回復させるため、①薬物療法（外用薬の塗布、かゆみに対する内服薬など）、②スキンケア（皮膚の清潔と保湿）、③悪化要因の対策（室内のアレルゲン対策など）の三つが治療の基本となります。

表4-4　重症度のめやす

軽　症：面積にかかわらず、軽度の皮疹のみ見られる。
中等症：強い炎症を伴う皮疹が体表面積の10％未満に見られる。
重　症：強い炎症を伴う皮疹が体表面積の10％以上、30％未満に見られる。
最重症：強い炎症を伴う皮疹が体表面積の30％以上に見られる。

資料：厚生労働省科学研究班

メモ

表 4-5　アトピー性皮膚炎治療薬

	ステロイド外用薬	タクロリムス軟膏など
特徴	炎症を鎮静する作用をもち、アトピー性皮膚炎治療の第一選択薬である。	ステロイド外用薬等の既存療法では効果が不十分、または副作用が懸念される場合に用いられる。
塗布部位など	顔面や頸部は薬剤吸収率が高く手足などは低いため、個々の皮疹の重症度と部位に見合ったランクの外用薬を適切に選択する。	小児では、顔面・頸部の皮疹に対して特に高い適応がある。
注意点	適切に使用すれば全身的な副作用は少なく安全性が高い。局所的副作用については、皮膚萎縮、毛細血管拡張、ステロイドざ瘡、多毛などが生じ得るが、中止あるいは適切な処置により軽快する。	薬効の強さには限界がある。2歳未満には使用しない。タクロリムス軟膏では使用開始時に一過性の灼熱感、ほてり感などの刺激症状が現れるが、皮疹の改善に伴い消失する。粘膜、外陰部、びらん・潰瘍面には使用しない。

■薬物療法

　アトピー性皮膚炎の薬物療法は、外用療法が中心に行われます。外用薬としては、炎症を抑え、かゆみを軽減させる作用を有するものが用いられます。具体的には、ステロイド外用薬と、タクロリムス軟膏、デルゴシチニブ軟膏が一般的です（表4-5）。

　ステロイドとは、副腎皮質という臓器でつくられるホルモンです。湿疹やかゆみを引き起こす原因である皮膚の炎症を抑える効果があり、安全性が高くアトピー性皮膚炎の標準的な治療となっています。歴史的にはステロイド外用薬に関する誤った情報が氾濫し、たくさんの人たちが不適切な治療のために重い皮膚炎

メモ

に苦しみました。しかし、一般的なアトピー性皮膚炎の治療に適切にステロイド外用薬を使用する限り、重篤な副作用を生じることはまずありません。

　ステロイド外用薬は、皮膚の炎症の強さや使用する部位により、使い分けられています。症状が沈静化してくれば段階的に作用の弱いものに切り替えたり、ステロイド外用薬を塗る頻度を減らしたり（**間欠塗布**と呼ばれます）します。

　一方、タクロリムス軟膏やデルゴシチニブ軟膏はステロイドと同様に皮膚の炎症を抑えるはたらきがあります。ステロイドとは異なる作用機序で炎症を抑制するため、長期連用により皮膚が薄くなるなどの副作用は生じません。タクロリムス軟膏ではしばしば塗った後のほてり感が出ますが、皮疹の改善に伴いなくなります。いずれの軟膏も2歳未満の子どもには使用が認められていません。

　内服薬としては、かゆみを軽減させる補助的な治療薬として、抗ヒスタミン薬などが処方されます。多くは一日1～2回の内服薬のため、保育所で飲ませることは通常ありません。なかには、副作用として強い眠気を生じるものもあります。うとうとしている時間の長い子どもがいるときは抗ヒスタミン薬の内服状況を確認します。

■保湿剤によるスキンケア

　スキンケアとは、アトピー性皮膚炎の特徴である**ドライスキン**を改善し、皮膚のバリア機能を補正するために行う、日常の皮膚ケアを意味します。具体的には、皮膚を清潔に保つこと（入浴、洗浄など）と保湿剤の使用を指します。

　アトピー性皮膚炎では皮膚が乾燥しバリア機能が弱くなっているため、外部からの刺激を受けやすい状態になっています。また、ステロイド外用薬によりいったん炎症を抑えてよくなったように見える皮膚も、バリア機能が弱い状態は続いています。そのため、ステロイド外用薬やタクロリムス軟膏に加え、必ず保湿剤を併用します。保湿剤をきちんと塗ることは治療の3本柱の一つであるスキンケアの中心であり、すべてのアトピー性皮膚炎にとって必要です。多くの場合、外用薬の塗布は一日1～3回で十分ですが、夏季はプールやシャワー浴の後など、冬季は空気が乾燥するため、適宜、何度も保湿剤を塗って皮膚の乾燥を防ぐことが必要となる場合があります。また、石けんで皮膚を清潔に洗った後は、落とされた皮脂を補い乾燥を防ぐために保湿剤を塗る必要があります。

🌱**用語**

間欠塗布
プロアクティブ療法とも呼ばれ、ステロイド外用薬により皮膚がつるつるになった後も、数日に1回（週に2回など）ステロイド外用薬の副作用を出さず、つるつるの状態を長期間維持する塗布方法。

🌱**用語**

ドライスキン
皮脂の分泌量が減ったり角層のうるおいが減ったりすると、表皮から水分が蒸発しやすくなり、皮膚が乾燥した状態になること。ドライスキンは皮膚バリア機能が低下するため、外部からの刺激や異物が侵入しやすくなり、炎症が起こりやすくなる。

メモ

保湿剤やスキンケアはアトピー性皮膚炎にある程度有効ですが、これだけで強い炎症を抑えることはできません。皮膚炎が続いている間はもちろん、症状が軽減して保湿剤のみを使っている場合でも、症状が悪化した場合は医師の指示に基づき、必要な強さのステロイド外用薬、またはタクロリムス軟膏を塗ることが重要です。

■外用薬塗布の方法

　一日1〜3回、患部を清潔にした後に外用薬を必要量、たっぷりと塗ります。重要なことは、必要な量を必要な期間、しっかり使うことです。治療内容が家庭での軟膏塗布だけであれば保育所での治療は必要ありませんが、重症の場合などは、保育所にいる間にも外用薬の塗布を指示されることがあります。

　ステロイド外用薬や保湿剤に関して、保育所での使用について特別な注意事項はありません。タクロリムス軟膏は、塗った後にひりひりしたりほてったりすることがあり、また外用した日は強い紫外線照射を避ける必要がありますので、長時間の屋外活動では帽子を着用したり、木陰で見学をさせるなどの配慮をしてください。

　外用薬は十分な量を使用することが極めて大切です。具体的には、大人の手の人差し指の先端から第1関節まで、軟膏チューブから押し出した軟膏量（約0.5g）で、大人の手のひら2枚分の面積に塗るのが適量です。例えば全身に外用薬を塗る必要がある場合、乳児では約4g（小さじすり切り1杯）、3〜5歳の幼児で

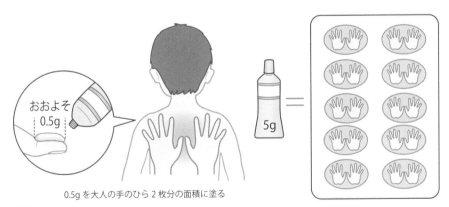

おおよそ 0.5g

5g

0.5gを大人の手のひら2枚分の面積に塗る

図 4-4　外用薬塗布の方法

メモ

- -

- -

- -

- -

- -

は約 6 g（小さじすり切り 1 杯半）が 1 回に塗る量の目安となります（図 4 - 4）。

保育所における対応

🔍 参照

保育指針第 3 章―
1 ―(3)疾病等への
対応―ウ

保育所保育指針では、アレルギー疾患を有する子どもの保育については、「保護者と連携し、医師の診断及び指示に基づき、適切な対応を行うこと」とあります。アトピー性皮膚炎の子どもの皮膚は刺激にとても敏感なので、保育所では以下のような対応が求められます。

■紫外線に対して

紫外線がアトピー性皮膚炎の悪化要因となる場合がありますが、適度な日光照射にはアトピー性皮膚炎によるかゆみや炎症を鎮める作用もあります。通常の屋外活動の範囲であれば問題ありませんが、紫外線により症状が悪化すると保護者が申し出た子どもに対しては、紫外線が強い時期の長時間にわたる屋外活動では、衣服や日よけ帽子等で皮膚の露出を避けたり、日焼け止めクリームなどで直射日光があたる量を少なくし、休憩時間等の待機場所をテントの中にしたりするなど、保護者・本人と十分に話し合って具体的な取組みを決めましょう。

■汗に対して

アトピー性皮膚炎の子どもにとって、悪化要因となり得る汗に対するケアは大切です。子どもは運動などによりたくさんの汗をかきます。たくさん汗をかいた後はシャワー浴をさせたり、流水で患部を流したり、タオルで体を拭いて着替えるなど、効果的な汗対策を行ってください。子ども専用のタオルを置いておき、汗をかいたらすぐ拭く、水で顔や手足を洗う、服を着替えるなどの習慣を身につけさせることも大切です。

■プール・水遊びに対して

プール水の消毒に用いる塩素も悪化要因として重要です。塩素を添加している場合には、重症な子どもや塩素に過敏な子どもはプールを禁止するか、短時間にとどめる、また、プール後はシャワーで丹念に塩素を洗い落とすなどの配慮が必

メモ

要となります。また、プール・水遊び後は外用薬が取れてしまうため、ステロイド外用薬や保湿剤の塗布が必要な場合もあります。

なお、皮膚を掻いたことによる小さな傷がある程度であれば、プールへ入ることに問題はありません。ジュクジュクした滲出液を伴う場合や全身の湿疹、とびひを合併している場合には入水を控えてください。

■急なかゆみに対して

強いかゆみをすぐに鎮める特効薬はありません。そのため、皮膚炎そのものをふだんの治療によりコントロールすることが何より大切です。緊急時の対応として、シャワー浴や流水で洗った後に、ステロイド外用薬や保湿剤を塗り、かゆみを生じた部位を冷やすことで、ある程度症状を和らげることができます。濡れタオル、保冷剤などを冷蔵庫に保管しておき、患部に当てて冷やすことは有用です。保冷剤をタオルなどで包んで首に巻くことが有効な場合もあります。

食物アレルギーとの関係

近年では「アレルギーマーチ」(アレルギー疾患が次から次へと発症する様子をマーチにたとえた言葉)といって、アトピー性皮膚炎の子どもは食物アレルギーや気管支喘息、アレルギー性鼻炎といったほかのアレルギー疾患を発症しやすいことが知られています。個人差があり、全員が同じような経過をたどるわけではありません。アレルギーマーチの理由の一つに「経皮感作」といって、皮膚の炎症部位においてさまざまな環境中のアレルゲンに対してアレルギー反応を起こす仕組みが関与していることがわかっています。皮膚炎を適正に治療し、皮膚をよい状態で維持することは、アレルギーマーチの進展防止の点からも重要であると考えられます。

なお、すべてのアトピー性皮膚炎の子どもに食物アレルギーが合併しているわけではありません。しかし、年齢が低いほど合併率は高いため、保育所に通う年齢は食物アレルギーの合併に配慮することの多い時期です。詳しくは第3節を参照してください。

メモ

≫ まとめの演習

🌱 保育所保育指針において、アレルギー疾患に関する内容をまとめてみましょう。

_____

_____

_____

_____

🌱 あなたが勤務する保育所に在籍するアトピー性皮膚炎の子どもが、外遊びの後にかゆみを訴えることがしばしば見受けられる場合、どのような対策を行うべきか考えてみましょう。

_____

_____

_____

_____

メモ

- -

- -

- -

- -

- -

第 **3** 節　食物アレルギー・アナフィラキシー（エピペン®含む）

この節のねらい

- ・食物アレルギーの定義、病態について理解し、ほかの職員に説明できる
- ・食物アレルギーの正しい診断の重要性を理解する
- ・アナフィラキシーの定義と対応を理解し、ほかの職員に説明できる

演習 1 食物アレルギーの診断がどのように行われているのか考えてみましょう。

演習 2 これまでアレルギーといわれていなかった食べ物を給食で食べさせたら、口の周りにじんましんができてかゆがりました。保護者にはどのように伝えますか。

演習 3 給食の喫食時に子どもがアレルギーの原因食物に「触れる」ことへの管理はどのように考え、どのように対応しますか。

メモ

🫖 食物アレルギーとは

食物アレルギーとは、食物によって免疫反応を介して生体にとって不利益な症状が引き起こされる現象と定義されます。

食物の侵入経路は経口（食べる）だけでなく、経皮膚（触れる）や経気道（吸い込む）であっても、上記に該当すれば食物アレルギーと考えます。一方で、免疫反応を介さない、食中毒、乳糖不耐症などの**食物不耐症**は食物アレルギーとは異なります。

■食物アレルギーの病型分類

食物アレルギーは表4-6のように分類されます。このうち保育所で管理する頻度が多いのは即時型です。

表4-6　IgE依存性食物アレルギーの臨床型分類

臨床型	発症年齢	頻度の高い食物	耐性獲得（寛解）	アナフィラキシーショックの可能性	食物アレルギーの機序
食物アレルギーの関与する乳児アトピー性皮膚炎	乳児期	鶏卵、牛乳、小麦など	多くは寛解	（+）	主にIgE依存性
即時型症状（じんましん、アナフィラキシーなど）	乳児期〜成人期	乳児〜幼児： 　鶏卵、牛乳、小麦、ピーナッツ、木の実類、魚卵など 学童〜成人： 　甲殻類、魚類、小麦、果物類、木の実類など	鶏卵、牛乳、小麦は寛解しやすい その他は寛解しにくい	（++）	IgE依存性
食物依存性運動誘発アナフィラキシー（FDEIA）	学童期〜成人期	小麦、エビ、果物など	寛解しにくい	（+++）	IgE依存性
口腔アレルギー症候群（OAS）	幼児期〜成人期	果物・野菜・大豆など	寛解しにくい	（±）	IgE依存性

FDEIA : food-dependent exercise-induced anaphylaxis
OAS : oral allergy syndrome
出典：「食物アレルギーの診療の手引き2020」検討委員会『食物アレルギーの診療の手引き2020』4頁

メモ

- -

- -

- -

- -

- -

即時型

　一般的に食物アレルギーといえば、この即時型を指します。これはほかの病型に比べて非常に多いためです。即時型の名称の由来は、原因食物を食べ速やかに症状が現れるためであり、多くは 30 分以内に何らかの症状が現れます。発症には**抗原特異的 IgE** が関与し、**アナフィラキシー症状**の発症リスクが高い病型です。

　発症のピークは 0 歳児で、全体の 3 分の 1 を占めます（図 4 - 5）。以降急激に減少し、3 歳未満で全体の 3 分の 2 を占めることとなります。このため、保育所での管理が非常に重要となります。

　即時型の三大原因食物は鶏卵、牛乳、小麦です。三大原因食物だけで即時型全体の約 3 分の 2 を占め、上位 10 の食物で約 90％を占めます。このうち、新規に発症する即時型の原因食物は年齢別に特徴があります（表 4 - 7）。0 歳こそ鶏卵、牛乳、小麦が多いですが、1、2 歳では鶏卵、魚卵類、木の実類、3 〜 6 歳では木の実類、魚卵類、落花生が主要原因食物となります。学童期以降は果物類、甲

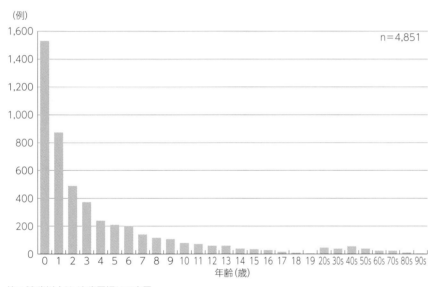

注：20 歳以上は 10 歳区切りで表示
出典：今井孝成・杉崎千鶴子・海老澤元宏「消費者庁「食物アレルギーに関連する食品表示に関する調査研究事業」平成 29 年　即時型食物アレルギー全国モニタリング調査結果報告」『アレルギー』第 69 巻第 8 号、701 〜 705 頁、2020 年

図 4-5　食物アレルギーの年齢分布

用語

抗原特異的 IgE
免疫グロブリン（抗体）の一つでアレルギー症状の誘発にかかわる。IgE は原因物質（抗原）に対して 1 対 1 の反応をするため、これを抗原特異的と呼ぶ。

用語

アナフィラキシー症状
アレルギー症状のうち、原因に曝露されてから速やかに全身性に症状が誘発される状態を指す。特に重篤度が高いものをアナフィラキシーショックという。

4

アレルギー疾患と保育所におけるアレルギー対応ガイドラインの理解

メモ

表 4-7　新規発症の原因食物　　　n = 2.764

	0 歳 (1,356)	1、2 歳 (676)	3 ～ 6 歳 (369)	7 ～ 17 歳 (246)	≧ 18 歳 (117)
1	鶏卵 55.6%	鶏卵 34.5%	木の実類 32.5%	果物類 21.5%	甲殻類 17.1%
2	牛乳 27.3%	魚卵類 14.5%	魚卵類 14.9%	甲殻類 15.9%	小麦 16.2%
3	小麦 12.2%	木の実類 13.8%	落花生 12.7%	木の実類 14.6%	魚類 14.5%
4		牛乳 8.7%	果物類 9.8%	小麦 8.9%	果物類 12.8%
5		果物類 6.7%	鶏卵 6.0%	鶏卵 5.3%	大豆 9.4%

注：年齢群ごとに 5 ％以上を占めるものを上位第 5 位まで掲載
出典：図 4-5 と同じ、701 ～ 705 頁

殻類、木の実類、そして再び小麦の頻度が増えてきます。保育所給食における新規発症の食物アレルギー事故を減らすためにも、給食で使用する食材の選定は重要な要素となります。

食物アレルギーの関与する乳児アトピー性皮膚炎

　本症は生後まもなく顔面から始まる湿疹が徐々に体へ広がり、湿疹のコントロールがつかなくなっていきます。乳児湿疹も管理が悪いと同じような経過をたどるので、本症として保育所で預かるのであれば、一度、小児アレルギー専門医に診断を再評価してもらうことを勧めるとよいでしょう。

　原因食物は即時型と大きな違いはありません。通常 1 歳頃までに治り、一部は即時型へ移行していきます。このため、通常は 1 歳過ぎてアトピー性皮膚炎の治療として食物を除去することは少なくなります。

メモ

口腔アレルギー症候群（OAS：Oral Allergy Syndrome）

　口腔アレルギー症候群は「アレルギー症状が口腔咽頭から始まり、まれに全身に波及し、アナフィラキシーまで悪化する現象」と定義されます。なかでも、花粉症患者にみられる OAS を、花粉―食物アレルギー症候群（PFAS：Pollen-Food Allergy Syndrome）と呼ぶことが多くなってきました。学童期以降の発症が多いため、保育所ではあまり見かけません。

食物依存性運動誘発アナフィラキシー（FDEIA：Food-Dependent Exercise-Induced Anaphylaxis）

　原因食物を食べただけでは症状は誘発されないものの、食べて 2 ～ 4 時間以内に運動することで症状が誘発される食物アレルギーです。中高生から若年成人に発症のピークがあるため、保育所ではあまり見かけません。

遅延型

　即時型に対して、食べてから 2 時間以上過ぎて症状が現れるタイプです。患者は即時型に比べれば少なく、通常 2 歳頃までに治ることが多いです。代表格である新生児・乳児消化管アレルギー（新生児・乳児食物蛋白誘発胃腸症）は、多くは新生児期から乳児早期に、主に牛乳により消化器症状を主体に発症します。食べてから、数時間以上過ぎて症状が現れます。最近卵黄により発症する乳児が急増しています。

　遅延型は保護者の思い込みや誤った診断手法（抗原特異的 IgG）により誤診されていることも少なくありません。遅延型として保育所で預かるのであれば、一度、小児アレルギー専門医に診断を再評価してもらうことを勧めるとよいでしょう。

　なお、地域の小児アレルギー専門医は日本アレルギー学会のサイト（http://www.jsaweb.jp/）で検索することができます。専門医は地域別、主科別（小児科、内科、皮膚科など）に検索できますが、小児食物アレルギーは小児科のアレルギー専門医に診てもらいましょう。

▎補足説明▎
抗原特異的 IgG は免疫グロブリン（抗体）の一つ。アレルギー反応を誘発するメカニズムには関与していないが、昨今、この抗原特異的 IgG を調べることで遅延型食物アレルギーが診断できるという誤った情報が流布され問題視されている。

メモ

■即時型食物アレルギーの自然歴

　即時型食物アレルギーの自然歴は原因食物によって大きく異なります。一般的に主要原因食物である鶏卵、牛乳、小麦に加えて大豆によるアレルギーは自然に治る確率が高く、3歳で50％、6歳で70～80％が治ると考えられています。これ以外の大多数の原因食物は、自然には治りにくいと考えられています。例えば、ピーナッツによるアレルギーが自然に治る確率は10～20％程度と考えられています。

🫖 適切な食物アレルギー対応のために

■正しい診断を得ることの重要性

　一般的に食物アレルギーの診断のために行われる検査は、血液検査、皮膚プリックテストです。しかし、これら検査が陽性であることは、食物アレルギーの診断の根拠とはなりません。検査は食物アレルギーではない患者であっても検査が「陽性」になる傾向があり、また逆に食物アレルギーであるのに検査が「陰性」になることすらあります。このため、これら検査結果に基づく診断は過剰診断につながります。

　過剰診断された患者は本来、食物アレルギーではありません。この子を食物アレルギー患者として扱うことは、本当は食べられる食物が食べられないばかりか、保育所では「やらなくてもよい対応」をすることになり、余計な労力をアレルギー対応に割くことになります。余計な労力は、本来しっかり対応しなければならない本物の食物アレルギーの子どもたちの対応をおろそかにし、それが事故につながる可能性すらあります。

■触れて出る症状の考え方

　検査結果の考え方に加えて、触れて出る症状に関しても正しく理解することが大事です。

　食物アレルギーは食物の侵入経路（食べて、触れて、吸い込んで）を問わず、

> **メモ**
>
> --
>
> --
>
> --
>
> --
>
> --

その食物が原因で免疫反応を介して症状が誘発されれば、食物アレルギーと定義されます。しかし、侵入経路のうち皮膚を介して（触れて）誘発される症状は、消化管（食べて）を介して生じる反応よりもアレルギー症状を起こしやすいといえます。つまり「触れると症状が出る」が、「食べても大丈夫」ということがよく起こるということです。

子どもたちに限らず、食べるときには必ず食物は唇や口周囲、また口の中や喉の粘膜に「触れます」。すると食べても大丈夫なのに触れた部分が赤くなったり、かゆくなったり、腫れてきたりすることがあります。

このため、保護者との面談では、これまで食べて出た症状が触れる範囲内の症状だけなのかを確認します。それが顔面周囲にとどまる皮膚粘膜症状（口唇が腫れた、口の周りの発疹・発赤・じんましん、顔面から首のみの発赤、目の腫れ等）であれば、本当にそれが「食べて出たのか」を医師に明確にしてもらうことを推奨します。

さらに、保育所における「触れることへの対応」も過剰にならないように注意が必要です。皮膚から侵入する食物の量は多くないので、よほど重症な食物アレルギー患者でなければ、触れることに対して過敏に対応する必要はありません。むしろ保育所において触れさせないように管理しようとすること自体が困難です。適切な処置や対応を施しながら、食物アレルギーの園児たちもほかの園児たちと触れ合い、楽しい保育所生活を送ることができるようにします。触れて出る症状に関して保護者と相互に理解しながら対応を進めていきましょう。

■正しい診断を得るために

食物経口負荷試験

では、何が食物アレルギーの診断根拠になるのでしょうか。

それは経口食物負荷試験（医療機関で原因食物を食べさせて症状が誘発されるか確認する試験）です。全国の食物負荷試験を行っている医療施設は、食物アレルギー研究会のホームページ（http://foodallergy.jp/）で地域別に検索することができますので、保護者に紹介するためにも地域の負荷試験実施施設を把握しておくとよいでしょう。また、患者に正確な診断を受けてもらうために、保育所では地域の小児アレルギー専門医を把握しておくとよいでしょう。日本アレル

Q 参照

食物アレルギー研究会

メモ

参照

日本アレルギー学会

参照

ガイドライン27頁、30〜32頁

ギー学会のホームページ（http://www.jsaweb.jp/）から小児科のアレルギー専門医を検索することができます。

生活管理指導表

　保育所において子どもたちが正しい診断を受けているかを見極めるためにあるのが、生活管理指導表（表4-8）であり、保護者との個別面談の基礎情報となります。2019（平成31）年4月の厚生労働省「保育所におけるアレルギー対応ガイドライン」の改訂において、保育所におけるアレルギー管理はこの生活管理指導表に基づくことが必須となりました。

表4-8　生活管理指導表

C. 原因食物・除去根拠　該当する食品の番号に○をし、かつ《　》内に除去根拠を記載

　1．鶏卵　　　　　　　《　　》

　2．牛乳・乳製品　　　《　　》

　3．小麦　　　　　　　《　　》

　4．ソバ　　　　　　　《　　》

　5．ピーナッツ　　　　《　　》

　6．大豆　　　　　　　《　　》

　7．ゴマ　　　　　　　《　　》

[除去根拠] 該当するもの全てを《　》内に番号を記載
①明らかな症状の既往
②食物負荷試験陽性
③IgE抗体等検査結果陽性
④未摂取

　8．ナッツ類*　　　　　《　　》　（すべて・クルミ・カシューナッツ・アーモンド・　　　　　　）

　9．甲殻類*　　　　　　《　　》　（すべて・エビ・カニ・　　　　　　　　　　　　　　　　　　）

　10．軟体類・貝類*　　《　　》　（すべて・イカ・タコ・ホタテ・アサリ・　　　　　　　　　　）

　11．魚卵*　　　　　　《　　》　（すべて・イクラ・タラコ・　　　　　　　　　　　　　　　　）

　12．魚類*　　　　　　《　　》　（すべて・サバ・サケ・　　　　　　　　　　　　　　　　　　）

　13．肉類*　　　　　　《　　》　（鶏肉・牛肉・豚肉・　　　　　　　　　　　　　　　　　　　）

　14．果物類*　　　　　《　　》　（キウイ・バナナ・　　　　　　　　　　　　　　　　　　　　）

　15．その他　　　　　　　　　　（　　　　　　　　　　　　　　　　　　　　　　　　　　　　）

　「*は（　）の中の該当する項目に○をするか具体的に記載すること」

出典：厚生労働省「保育所におけるアレルギー対応ガイドライン（2019年改訂版）」2019年

メモ

また 2022（令和 4）年 4 月から生活管理指導表は、保険診療で医師が発行することができるようになりました。

生活管理指導表では、医師は除去する必要があると考える食物に○印をつけ、《 　 》内にその除去根拠を番号で記入します。果物類や魚類などのうち、特定の果物や魚種だけを除去する場合には（ 　 ）内に該当品目を記入します。

生活管理指導表の特徴は、不必要な除去対応を減らすために除去根拠を明らかにしたことです。医師は原因食物ごとに、除去根拠として①明らかな症状の既往、②食物負荷試験陽性、③ IgE 抗体等検査結果陽性、④未摂取を選択します。これによって保育所は原因食物の診断の確からしさを判断することができるようになりました。すなわち、診断の確からしさは②＞①＞③＞④の順です。①は保護者の申告によって判断されている場合もあり、②の根拠に劣ります。明らかな症状の既往の詳細は、面談で保護者に確認して評価する必要があります。しかし、②にしても①にしても、保育所世代の鶏卵、牛乳、小麦、大豆アレルギーは時間の経過とともに自然に治る可能性があるため、症状誘発エピソードや負荷試験陽性判定から 1 年以上過ぎている場合は、その診断の確からしさは低くなります。以上のことから、除去品目数が多い割に診断もしくは除去根拠が③または④ばかりの場合には、診断の確からしさに問題があり、その事実と根拠を保護者に助言したり、主治医に問い合わせたりして正しい診断が得られるように促すとよいでしょう。

アナフィラキシー

■アナフィラキシーの定義

アナフィラキシーは、食物、薬物、蜂毒、ラテックス（天然ゴム）などの原因物質の侵入により、複数臓器に全身性にアレルギー症状が誘発されます。時に、生命に危機を与え、その症状は数分で急速に悪化します。なかでも、血圧低下や意識障害などを伴う場合をアナフィラキシーショックといい、非常に重篤な状態で命の危険もあります。

メモ

参照

ガイドライン 33
〜 37 頁

■アナフィラキシーの治療と保育所での備え

アナフィラキシーは急速に悪化するので、対応が遅れると命を危険にさらします。このため、まず重要なことは、アナフィラキシー症状を引き起こさないような予防策を万全に講じることです。そのうえで事故が発生したときに、適切に対応できる力をもてるように園全体で取り組みます。

事故時は症状の重症度を適切に判定することが重要であり、重篤であれば、速やかにエピペン®を注射し、救急要請をすることが先決となります。実際の予防および事故発生時対応、およびエピペン®の取扱いに関しては第5章で学習します。

メモ

＜引用文献＞
1）日本小児アレルギー学会、足立雄一ほか監『小児気管支喘息治療・管理ガイドライン 2020』協和企画、2020 年

＜参考文献＞
日本学校保健会監、文部科学省スポーツ・青少年局学校健康教育課「学校のアレルギー疾患に対する取り組みガイドライン」2008 年
日本アレルギー学会監、Anaphylaxis 対策特別委員会編『アナフィラキシーガイドライン』2014 年
文部科学省「学校給食における食物アレルギー対応指針」2015 年
日本小児アレルギー学会、足立雄一ほか監『小児気管支喘息治療・管理ガイドライン 2020』協和企画、2020 年
日本皮膚科学会、日本アレルギー学会、佐伯秀久ほか監「アトピー性皮膚炎診療ガイドライン 2021」2021 年
日本小児アレルギー学会、海老澤元宏・伊藤浩明ほか監、食物アレルギー委員会『食物アレルギー診療ガイドライン 2021』協和企画、2021 年
東田有智監、日本アレルギー学会『アレルギー総合ガイドライン 2019』協和企画、2019 年
厚生労働省「授乳・離乳の支援ガイド（2019 年改定版）」2019 年
厚生労働省「保育所におけるアレルギー対応ガイドライン（2019 年改訂版）」2019 年

＜おすすめの書籍・映像＞
藤澤隆夫監『おしえて　先生！子どものぜん息ハンドブック』環境再生保全機構、2016 年
環境再生保全機構「ぜん息などの情報館」（https://www.erca.go.jp/yobou/zensoku/）
環境再生保全機構「小児ぜん息等アレルギー疾患 e ラーニング学習支援ツール（患者教育スタッフ向け e ラーニング）」（https://www.erca.go.jp/yobou/zensoku/local_government/e-lerning.html）

＜アレルギー疾患に関するさらなる情報の入手先＞
アレルギーポータル（日本アレルギー学会、厚生労働省）（https://allergyportal.jp/）
食物アレルギー研究会（https://www.foodallergy.jp/）
九州大学医学部皮膚科学教室「アトピー性皮膚炎についていっしょに考えましょう」（http://www.kyudai-derm.org/atopy/）
日本アレルギー学会（http://www.jsaweb.jp/）
日本アレルギー協会（http://www.jaanet.org/）
日本小児アレルギー学会（http://www.jspaci.jp/）
日本小児臨床アレルギー学会（http://jspca.kenkyuukai.jp/information/）
日本皮膚科学会「皮膚科 Q&A」（https://www.dermatol.or.jp/qa/qa 1 /index.html）
日本学校保健会（http://www.hokenkai.or.jp/）

参照
環境再生保全機構「ぜん息などの情報館」

参照
環境再生保全機構「小児ぜん息等アレルギー疾患 e ラーニング学習支援ツール（患者教育スタッフ向け e ラーニング）」

参照
アレルギーポータル

4

アレルギー疾患と保育所におけるアレルギー対応ガイドラインの理解

メモ

第 5 章

食物アレルギーのある
子どもへの対応

第 1 節　食物アレルギー事故予防

- 食物アレルギー事故予防のチェック項目を理解し、対策を完成する
- 食物アレルギー事故予防対策を保育所全体で理解し、取り組める
- 食物アレルギー事故予防対策の指導的立場になる

演習 1　これまでに食物アレルギーに関連したヒヤリ・ハットもしくはインシデントの経験がありますか。何が原因であったのか、皆で共有してみましょう。

演習 2　保育所における食物アレルギー対応の原則とはどのようなことが考えられますか。皆で話し合ってみましょう。

演習 3　勤務する保育所で、食物アレルギー事故予防のために行っていることは何ですか。具体的に書いてみましょう。

メモ

食物アレルギー対応を行ううえでは、事故は必ず起こるという姿勢で予防策を決定していくことが重要です。保育所保育指針のなかでも「アレルギー疾患を有する子どもの保育については、保護者と連携し、医師の診断及び指示に基づき、適切な対応を行うこと。また、食物アレルギーに関して、関係機関と連携して、当該保育所の体制構築など、安全な環境の整備を行うこと。看護師や栄養士等が配置されている場合には、その専門性を生かした対応を図ること」と示されています。また、2019（平成31）年4月には、「保育所におけるアレルギー対応ガイドライン」が改訂されました。保育所では、このガイドラインに沿ってアレルギー対応を策定し、実践することが原則となります。

本章では、食物アレルギー事故予防のために行うべき保育所における予防対策について考えてみます。

保育所における食物アレルギー対応の原則

対応の目標は「食物アレルギーのある子どもも、安全・安心な保育所生活を送ることができる」ことです。これを達成するために、まず保育所で以下の対策を順番に講じます。

まず「組織的に対応する」ことです。保育所長をトップに据え、それぞれの職種の代表が参加する対応委員会を組織して、そのなかで協議対応を進めます。

次に、事故発生時はもちろん、事故予防も「職員全員で対応する」ことです。このため、保育所内では「職員の意識向上と連携」が求められます。

さらに、保育所外の「保護者、医療機関（嘱託医、主治医、緊急時対応機関）、消防機関と連携する」ことも必要です。

そして管轄する行政は、各施設の取組みを支援することも必要です。

保育所内の体制づくりおよび職員間連携

事故予防対策の実践の前提は、対応体制づくり（アレルギー対応委員会の設置および事故予防マニュアルの策定）です。

委員会には保育所長を筆頭に、関連する職員が全員参加します。まず、保育所

参照
保育所におけるアレルギー対応ガイドライン

参照
保育所保育指針第3章─1─(3)疾病等への対応─ウ

参照
ガイドライン21頁

参照
ガイドライン14〜17頁、21〜22頁

5

食物アレルギーのある子どもへの対応

メモ

における食物アレルギーへの対応方針（子どもが安全で安心できる保育所生活の実現）を保育所長が明確にします。そして、それぞれの職員が事故予防に果たす役割を担い、その役割を果たせるように日々研鑽を積みます。

事故予防は個々の職員の取組みが連動することで、スムーズな対応を実現します。このため、職員間の意思疎通や連携は非常に重要です。誰かがやってくれるものではなく、個人がそれぞれ主体的に役割を果たし連携することで、子どもの安全が守られます。

☑ 事故予防へのチェック項目

☐ アレルギー対応委員会が設置されている
☐ 委員会は保育所長などの管理職が委員長である
☐ 委員会にはさまざまな職種の職員が委員として参加している
☐ 事故予防に関するマニュアルがあり、運用している
☐ 事故予防のために役割が職員ごとに分担されている
☐ 職員が役割を十分果たせるように研鑽や研修の機会がある
☐ 職員間の意思疎通や連携が図られている
☐ 職員それぞれが事故予防の当事者であることを認識している

🔍 参照
ガイドライン 6〜7頁

Check 管理職が事故予防対策に前向きでないとき、どのように食物アレルギー対応の必要性を訴えればよいか、考えてみましょう。

Check 職員がそれぞれに当事者意識をもって事故予防にあたるためには、どのような工夫・啓発をするとよいでしょうか、考えてみましょう。

🫖 医師の診断および保護者との連携

保育所の食物アレルギー対応は、必ず医師の診断に基づきます。保護者の申告のみに基づく対応は絶対にしてはいけません。

医師との連携は厚生労働省作成の生活管理指導表（以下、指導表。150頁参照）

メモ

を用います。保育指針およびガイドラインにおいてこの指導表を用いて保育所におけるアレルギー対応を進めることが必須であることが示されました。これまで指導表を用いてこなかった保育所は、今後は用いるようにします。また2022（令和4）年4月から、指導表は医師が保険診療として発行することができるようになりました。保護者らの金銭的負担を考えても、指導表の運用を推進しましょう。

　保護者との連携は必須です。面談では、指導表の内容を確認し、保育所で対応するうえで、指導表からは得ることのできない不足している情報をしっかりと聴取します。対応開始前の面談はもちろん、対応開始後も定期的に面談をします。顔の見える対応を行うことで、保護者の安心感や信頼感は格段に増します。なお面談は、担任保育士や栄養士だけではなく、保育所長などの管理職、看護師なども交えて行います。

☑ **事故予防へのチェック項目**

- ☐ 対応は医師の指示に基づく厚生労働省発行の保育所における生活管理指導表を用いている
- ☐ 保護者とは対応開始前に面談をしている
- ☐ 面談には担任保育士や看護師、栄養士だけでなく、管理職も参加している
- ☐ 面談では必要な情報を聞き取っている
- ☐ 保護者との面談は定期的に行われている

Check 重症な食物アレルギーの子どもをもつ親は、保育所に対してどのようなことを思い、期待していると思いますか。考えてみましょう。

対応開始前の準備

　事故予防作業の中心は喫食前にあるといえます。いかに事前に準備万端整えているかが、事故予防の成否を決めます。

　誤食事故を起こさないように、まずは給食の受け取り〜配膳〜喫食〜喫食後の

参照

ガイドライン21〜22頁、40〜42頁

メモ

清掃まで、場面に応じて起こり得るエラーをすべて洗い出します。施設によって状況は異なりますので、それぞれの状況に合わせた評価が必要です。そのうえで、エラーを発生させないための対策を講じます。

しかし、エラー防止対応が行き過ぎると（対象児だけ別室で食べる、完全弁当対応にする、過度の危機を職員にあおるなど）子どもたちの楽しい給食時間を奪うことになり、むしろ給食の時間を苦痛と感じさせかねません。子どもの重症度と安全確保のバランスをとり、適切な対応を行う努力をしましょう。

☑️ **事故予防へのチェック項目**

☐ すべての工程や作業過程においてエラーの可能性とリスクの洗い出しをしている

☐ すべてのエラーの可能性とリスクに対策を講じている

☐ それら対策が確実に継続して実践できるように工夫している

☐ それら対策は過度になっておらず、対象児も給食や保育所での生活を楽しむことができている

☑️ **具体的な対策例**

☐ アレルギー事故予防マニュアルを作成している

☐ 確認事項は指差しや声出しを行っている

☐ 給食の受け渡し時のチェック体制がある

☐ 対象児の着席する場所を工夫している

☐ アレルギー食物や対象児の名札の工夫をしている

☐ 対象児は個別配膳している

☐ 対象児の食器などを目立つようにしている

Check 上記の具体的な対応例は一例に過ぎません。ほかにはどのような工夫ができるか、皆で話し合って知恵を出し合いましょう。

メモ

🫖 喫食当日の対応

日々のパターン化された業務に「慣れ」が発生しないような取組みが必要です。毎日の朝礼の時など、声に出して事故予防を喚起しましょう。

当日の当該園児の出席状況を確認して、準備を進めます。調理場などから保育所へ給食の搬入時から具体的な作業が開始となります。事前に決められた作業手順どおりに、対象児にアレルギー対応食を確実に配膳します。

☑ 事故予防へのチェック項目例

- ☐ 朝礼などでその日の対応を毎日確認している
- ☐ 対象児の出席状況を確認している
- ☐ 給食の保育所搬入時に対応給食を確認している
- ☐ 決められた座席に対象児が着席していることを確認している
- ☐ 対応給食が配膳されていることを確認している

🫖 喫食中の対応

事故は原因食物を食べることで発生するので、喫食中の管理は最後の砦になります。十分に目を配って、事故を未然に防ぎましょう。ほかの子どもと距離をとることは有用な対策となりますが、食物アレルギーのある子どもにとっては楽しい給食時間の妨げとなります。その距離が本当に必要なのかを考えます。

また、あらかじめ対応する職員を決めておき、誰かが見てくれているだろう、という状況にならないようにします。

☑ 事故予防へのチェック項目例

- ☐ 対象児の喫食中の職員配置を工夫している
- ☐ 対応職員を決めている
- ☐ 口の周りや手に食物がついたら速やかに拭き取っている
- ☐ 周りの子どもたちとの関係に目を配っている

Check じっとできない子どもたちの喫食中の管理は難しいのが現実です。何か工夫をすることで楽しく過ごしながらも安全な時間を過ごせないか、皆で話し合ってみましょう。

🫖 喫食後の対応

給食が終わっても事故は起こり得ます。最後まで気を抜かないで給食時間を終えましょう。

☑ 事故予防へのチェック項目例

☐ 後片づけが終わるまでは注意を怠らない

☐ 床に落ちている食品の清掃を行っている

☐ 十分に手洗いをし、口周囲などに食べ物が付いていないか確認している

🫖 その他

🔍 参照
ガイドライン 19
〜20頁、39頁

ほかにも、事故予防のために保育所で準備しておくことはたくさんあります。

事故予防の対応は保育所内だけで完結するものではなく、管轄する行政や嘱託医・主治医との連携も必要な事前準備といえます。

また、行事食や遠足など、ふだんと異なる環境下では事故が発生しやすくなります。イベント時は常に事故予防を考えて過ごしましょう。

食物アレルギーが偏見の対象にならないように、保護者の了解を得たうえで、ほかの子どもにも食物アレルギーのことを説明して理解を進めるとよいでしょう。

そして、食物アレルギーの診療は日進月歩で変化しているため、定期的に最新の知識にふれる努力も大事です。古い知識や誤った知識に基づいた対応を続けることがないようにします。また、保育所は、保育士が得た最新の知識を保護者たちに教えることで、患者を正しい医療につなげる役割も担います。食物アレルギーがあっても生活の質を下げないですむように支援しましょう。

メモ

☑ 事故予防へのチェック項目

- ☐ 生活管理指導表を用いている
- ☐ 行政と連携している
- ☐ 嘱託医や主治医と連携している
- ☐ 地域のアレルギー専門医の存在を知っている
- ☐ 地域の負荷試験実施医療施設の存在を知っている
- ☐ ほかの園児に食物アレルギーに関して説明をしている
- ☐ 行事や遠足などのときは特に事故予防意識を高めている
- ☐ 最新の知識を得る努力を継続している
- ☐ 正しい知識を保護者等に伝える努力をしている

🫗 リーダーとしての視点

食物アレルギー事故では子どもが命を落としてしまう可能性があります。その事故はさまざまな状況で起こり得るので、一部の職員が予防対応を行うのではなく、保育所全体で取り組まなければなりません。

あなた以外の職員は、食物アレルギーの課題を身近に感じておらず、事故予防に対して他人事と考えていることが多いです。また、毎日の決まった対応を繰り返すなかで、対応が「作業」になってしまっています。こうした当事者意識の欠如や慣れが不注意を生み、事故へつながっていきます。

このような事態に陥らないためには、園における食物アレルギー対応のキーパーソンが必要であり、あなたがその役割を担います。皆さんの保育所では、どのように職員の意識の向上、**ヒューマンエラー**対策を行っていますか。保育所における食物アレルギー対応のリーダーとして、なすべきことを考えてみましょう。

🌱用語

ヒューマンエラー
人為的ミス。意図しない結果を生じる人間の行為。

メモ

🌱 あなたの保育所では、食物アレルギー事故予防に関して十分な配慮が行われていると思いますか。十分な配慮が行われていないと思う場合は、どのような配慮が足りないと思いますか。そして、どのように配慮を充実させ、実践していこうと思いますか。また、子どもたちのための対応といいながら、自分たちの責任回避のための対応になっていませんか。あらためて対応目標を確認しましょう。

_____

_____

_____

_____

メモ

- -

- -

- -

- -

- -

第 **2** 節 食物アレルギー事故対策

- ・食物アレルギー事故対策のチェック項目を理解し、万が一に備えることができる
- ・食物アレルギー事故対策における指導的立場を務めることができる

 これまでに食物アレルギーに関連したインシデントの経験がありますか。園児がどのような経過をたどったのか、皆で共有してみましょう。

 勤務する保育所で、食物アレルギー事故発生時の対応を想定して準備していることは何ですか。書き出してみましょう。

 勤務している保育所で食物アレルギー事故を想定して現場ではどのような役割分担をしておけばよいか考えてみましょう。

メモ

🫖 子どもの重症度を把握

　対応する食物アレルギーの子どもの重症度を把握することは対応のはじめの一歩であり、重要です。対象児が重症であれば、より厳密な対応が必要であり、また事故発生時の重篤化が想定できます。

　重症度の把握は、医師からの生活管理指導表と保護者面談で行います。一般的に、表5-1に該当する場合、重症児と考えるので、面談でより丁寧に聞き取ります。

☑ 事故対策へのチェック項目

- ☐ 生活管理指導表から重症児を抽出している
- ☐ 面談で重症児を抽出している

Check アナフィラキシーおよびアナフィラキシーショックとはどのような状態でしょう。自分たちの考え方を話し合ってみましょう。

表 5-1　重症度が高いと考える因子の把握

1. アナフィラキシーの既往がある
2. アナフィラキシーショックの既往がある
3. エピペン®を持っている
4. 医師から重篤であるといわれている
5. 症状発症閾値が少ない（少量で症状が誘発される）
6. 気管支喘息の合併がある（管理が悪ければなおさら）
7. 落花生、木の実類、ソバ、小麦などのアレルギーである

メモ

📭 事前準備

事故発生を想定して準備を行います。どれだけ事前に準備ができるかで事故対応の成否が大きく左右されます。

事故対応は委員会（113頁参照）で組織的に体系的に行います。このため、委員会ではまず事故対応体制を確立し、事故対応マニュアルを作成する必要があります。

事故は職員にとって身近なものではありません。かつ、事故予防または事故対応の責任者がいれば、なおのこと個々の職員に当事者意識が芽生えません。事故時の対応を円滑に行うために、職員には役割分担を行い、それぞれに責任を負わせ、当事者意識を高める必要があります。

知識がなければ適切な対応はできません。職員は事故対応に関して研修参加などを通じて、知識を深め、技術を会得します。そして、定期的に事故対応訓練を実施していきます。

🔍 参照

ガイドライン14
〜17頁

✅ 事故対策へのチェック項目

- ☐ 食物アレルギー対応委員会が設置され、対応を議論している
- ☐ 事故対応に関するマニュアルがある
- ☐ 事故時の役割分担をしている
- ☐ 職員は事故対応研修会などに参加している
- ☐ 誤食事故対応訓練を定期的に実施している
- ☐ エピペン®の取扱いをすべての職員が習熟している

Check 委員会があっても、マニュアルがあっても、訓練をしていなければ対応力は身につきません。保育所で事故対応訓練を行うにはどのような取組みが必要でしょうか。すでに訓練を実施している保育所があれば、参考にしながら話し合ってみましょう。巻末に収載したロールプレイングシナリオを参考にして実践してみましょう。

メモ

🫖 事故時対応

　事故が発生したときに重要なことは、訓練どおりに組織的に体系的に対応ができることです。あらためて役割分担を確認しながら、個々になすべきことが行えるようにしましょう。

　リーダーとなる人（主に管理職）が、刻々と変化する状況に合わせて、観察者の進言に基づき適切な指示を出していきます。観察者（主に看護師など）は子どもの状況を適切に評価して、リーダーに伝えます。特に重症度の評価やエピペン®注射のタイミングは適切にできるようにします。表5−2の13症状は子どもが重篤であると考えるアナフィラキシー症状です。覚える必要はありませんが、事故時に速やかに確認できるように準備しておくことは必須です。

表5-2　症状が重篤であると判断できる13症状

＜全身症状＞		
唇や爪が青白い	脈が触れにくい・不規則	意識がもうろうとしている
ぐったりしている	尿や便を漏らす	
＜のど・呼吸器症状＞		
のどや胸がしめつけられる	声がかすれる	犬が吠えるような咳
持続する強い咳込み	ゼーゼーする呼吸	息がしにくい
＜消化器症状＞		
繰り返し吐き続ける	持続する強い（我慢できない）腹痛	

※むやみに子どもを移動させない。ショックのときは体位が変わる（おんぶや抱っこ）と、かえってショックを悪化させます。

※意識障害は一見すると寝入っていくように見えます。保育園児は、昼食後など昼寝の時間に重なることがあるので、判断を誤らないように注意する必要があります。

出典：日本小児アレルギー学会

メモ

🫖 食物アレルギー事故シミュレーション

　食物アレルギー事故というと、とかくエピペン®の打ち方や打つタイミングなどに気が向きがちですが、実際に事故時にエピペン®を打つ可能性は低いです。事故対応においては、エピペン®の取扱いを含めた一連の対応の流れを確認し、実践できるようにすることが重要です（資料2（138頁）参照）。

■役割分担

管理者のはたらき

　管理者は事故現場の統制をする役割を担います。観察者と同じく、重要なキーパーソンとなります。主には保育所長などの管理職が担いますが、たまたま管理職がいないときに事故が発生したときには、速やかに誰かが管理者を宣言して、事態の把握と指示を出していきます。浮足立っている事故現場において、職員らが的確迅速に対応できるようにすることが管理者の重要な役割です。エピペン®使用や救急要請など、観察者の進言を受けて要所の判断を下していきます。

観察者のはたらき

　観察者は患児の様子を観察し、変化のつど適切な判断を下し、管理者に進言します。看護師がいる保育所であれば看護師が、それ以外であれば事前に観察者を誰にするのかを決めておきます。病欠や研修などで観察者がいない可能性も考慮して対応を計画します。

　観察者は的確に子どもの重症度を評価し、エピペン®を打つタイミングや、医療機関への受診のタイミングなどを指示・実施していきます。

準備係

　事故対応は必ずしも保健室や救護室などで行われません。このため、マニュアルやAED、エピペン®などを事故対応の現場まで持ってくる必要があります。

連絡係

　事故発生を保護者に伝えます。必要に応じて、保護者の指示を聞くこともある

メモ

かもしれません。また、救急搬送する場合や主治医に連絡をとることもあります。

記録係

事故の経過を記録に残します。症状の変化や、薬剤投与時間など、変化のつど記録にとどめます。また、変化がなくても、5分ごとにその旨記録していきます。

その他

事故に人員や注意が割かれることで、その他の子どもたちの管理がおろそかにならないようにします。また、救急隊を現場まで誘導する職員や、原因食物の推定などにそれぞれ人員が割かれます。

■子どもの観察と職員の招集

まずは症状に気づくことから始まります。食物アレルギー症状は皮膚症状が最も現れやすく、最も発見しやすい症状ともいえます。このため、それ以外の症状、特に呼吸器症状や全身症状、一見するとわかりにくい症状を見逃さないように注意しましょう。

一般的に症状は食べている最中から30分以内に現れるので、食直後は特に注意しなければいけない時間帯です。この時間帯に何らかの症状が現れて、それが食物アレルギー児であったら、真っ先に誤食などの可能性を考えられるようにしましょう。

食物アレルギー症状と考えたり疑ったりしたら、速やかに職員を招集します。

`Check` 見逃してはいけない症状にはどのような症状があるでしょうか。頁を戻さずに13症状を思い出してみましょう。また、どうしてそれらの症状を見逃してはいけないのか考えてみましょう。

`Check` 食物アレルギー症状を発見したときに、どのような手段でほかの職員を呼びますか。勤務している保育所を想定して考えてみてください。

`メモ`

その他

　事故対応はいかに事前に準備万端に用意しておけるかにかかっています。それはエピペン®等の物品だけではなく、対応する職員の心構えも用意しておく必要があります。

　また、あらゆる関係部署と連携して、事故対応が組織的かつ体系的にできるように準備しておくことも大事です。

☑ **事故対策へのチェック項目**

☐ 事故発生時、搬送先病院を決めている
☐ 嘱託医や主治医と事故対応で連携している
☐ 所轄消防機関と連携している
☐ 行政と連携しながら対応を進めている
☐ 定期的に保護者と面談をして対応を確認している

リーダーとしての視点

　食物アレルギー事故によるアナフィラキシー症状は極めて急速に症状が進行し、場合によっては命を落としてしまいます。このため、事故時の組織的かつ体系的な対応は必須となります。しかし、多くの職員は事故の経験がなく、あっても身近なことと感じられずに他人事の感覚です。事故対応のキーパーソンであるあなたは、保育所において事故時に適切な対応が実践できるように、事前に準備をすることが求められています。

　当事者意識の低い職員に、高い意識をもたせるためにどのようなことをするとよいと思いますか。考えてみましょう。

メモ

🌱 あなたの保育所では、食物アレルギー事故対策に関して十分な準備が行われていると思いますか。十分な準備が行われていないと思う場合は、どのような準備が足りないと思いますか。そして、その準備をどのように進めていこうと思いますか。

メモ

第3節 アドレナリン自己注射薬 (エピペン®) に関して

この節のねらい

・アドレナリン自己注射薬を適切に取り扱うことができるようになる

 演習 患児にエピペン® を打つ（針を刺す）ことは誰しも不安や恐怖心をもつものです。こうした気持ちをどのように克服すればいいか考えてみましょう。

エピペン®はアドレナリン自己注射薬の商品名であり、アドレナリンがペン型の容器に充填され、自分でそれを注射できる薬剤です。エピペン®は添付文書には 15 ～ 30℃で保存することが望ましいと記述がありますが、15℃未満および 30℃以上で管理をしても、効果の減弱は見られません。ただし、炎天下の車のダッシュボードや冷蔵保管するようなことは避けるべきです。

また、保育所のどこで保管管理するかは保育所の規模や建物の構造によって異なります。利便性と安全性を兼ね備えた場所を各施設において熟慮し、事前に決定します。さらに、エピペン®に関しては打つタイミングと取扱い方法を学ぶことが重要です。

参照

ガイドライン 11 ～ 13 頁、33 ～ 37 頁

エピペン®を打つタイミング

打つべきタイミングに関しては、厚生労働省は緊急性が高い症状として 13 症状を例示しています（表 5 - 2 (124 頁) 参照）。

メモ

このうち一つでも該当する症状があれば緊急性が高いと考え、エピペン®を投与します。これら重要13症状を覚えておくことは困難です。このため、万が一のときに速やかに13症状が確認できる方法（プリントや掲示等）を準備しておきます。

🫖 エピペン®の取扱い方法

　エピペン®注射は非常に簡単な手技ですが、緊急時は皆が動揺してうまく打てないことが少なくありません。そのときのために日頃からエピペン®練習用トレーナーを用いて、手技を確実に覚えておくようにします。エピペン®練習用トレーナーは製品に付属してきますので、保護者は必ず持っています。借用したり、なかには複数回処方されていれば複数本持っていたりするので、譲り受けられるか聞いてみます。

図 5-1　エピペン®

■安全キャップを取り、しっかり握る

　エピペン®はオレンジ色の先端部から針が射出されます。逆側の青い部分は針が不用意に出ないように、取り外し可能な安全キャップになっています。向きを確認したら、エピペン®を利き手で、手をグーの形でしっかり把持します。次に、利き手でないほうで青色の安全キャップを取り外します。これで打つ準備が完了です。以降は先端のオレンジ色の部分に絶対触らないようにします。

■エピペン®を打つ

　大腿部上部外側（図5-2）あたりに注射します。ちょうどズボンのポケットのあるあたりです。ポケットの中に硬貨や鍵などがないのを確認します。

　注射するとき、エピペン®は振り下ろさず、注射点に静かに押し当てましょう。力強く押し込まなくても十分注射できます。注射針は服の上からでも貫通するので、脱衣させる必要はありません。

　装填されているアドレナリンは速やかに注射されますが、射出の反動や子ども

メモ

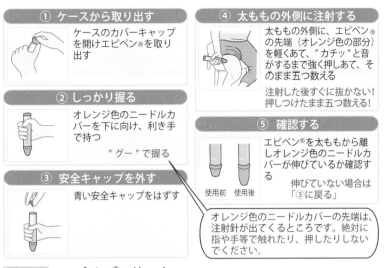

図 5-2　エピペン®の使い方

の痛がり方に驚いて、すぐに抜いてしまうことがあります。注射の確実性を高めるために、注射後すぐには抜かず数秒その状態を保持します。ただし、あまり長い間押しつけていると、子どもが嫌がって動いたときにエピペン®で子どもに傷をつけてしまう危険性もあります。数秒したら速やかにエピペン®を抜きましょう。

Check　エピペン®を打つときに動かないように子どもの固定が必要です。どのように固定するのがよいのか、考えてみましょう。

■エピペン®を打てたか確認する

エピペン®を抜くとき、先端のオレンジ色の部分が針を隠すよう伸びてきます。このため、打った後は必ずオレンジ色の部分が伸びていることを確認します。この先端部が伸びていなければ、注射はできていません。あらためて初めから手技を確認しましょう。安全キャップを外し忘れていることがよくあります。

注射が完了したら、注射点を中心に10回ほどよくもみます。

■その他

エピペン®は医療廃棄物として処理しますので、救急隊員に打った時間の申告とともに渡して廃棄してもらいます。

メモ

💧 職員の心構え

エピペン®を打つときは多くの人々が迷い、躊躇します。しかし症状のある子どもを前にしてエピペン®注射を迷っているということは、先の 13 症状等が今、現れているからであり、それはまさに打つタイミングです。エピペン®を打つことで子どもたちに悪いことは起きませんが、エピペン®を適切なタイミングで打てなかった場合、最悪の場合、命が奪われかねません。"迷ったら打つ"を標語に、積極的に注射する気持ちを養いましょう。

また"そのとき"に適切に打てるようになるために唯一できることは、日頃から繰り返し練習をすることです。すべての職員は、月に 1 度はエピペン®練習用トレーナーを用いて練習をして注射の手技を確実に会得します。

Check エピペン®を打つ手技に関して、いくつかポイントがありました。大事な四つのポイントを書き出してみましょう。

≫ まとめの演習 ─────────────

🌱 子どもの命にかかわる場面で冷静にエピペン®を使用することは非常に困難です。緊急時にエピペン®を適切に打てるようになるために、事前にどのような準備ができるか、考えてみましょう。

_____

_____

_____

_____

メモ

資　料

保育所保育指針（一部抜粋）

（平成 29 年 3 月 31 日厚生労働省告示第 117 号）

第 1 章　総則

2　養護に関する基本的事項

(2)　養護に関わるねらい及び内容

ア　生命の保持

(イ)　内容

④　子どもの発達過程等に応じて、適度な運動と休息を取ることができるようにする。また、食事、排泄、衣類の着脱、身の回りを清潔にすることなどについて、子どもが意欲的に生活できるよう適切に援助する。

イ　情緒の安定

(イ)　内容

④　一人一人の子どもの生活のリズム、発達過程、保育時間などに応じて、活動内容のバランスや調和を図りながら、適切な食事や休息が取れるようにする。

3　保育の計画及び評価

(1)　全体的な計画の作成

ウ　全体的な計画は、保育所保育の全体像を包括的に示すものとし、これに基づく指導計画、保健計画、食育計画等を通じて、各保育所が創意工夫して保育できるよう、作成されなければならない。

第 2 章　保育の内容

1　乳児保育に関わるねらい及び内容

(2)　ねらい及び内容

ア　健やかに伸び伸びと育つ

(ア)　ねらい

③　食事、睡眠等の生活のリズムの感覚が芽生える。

(イ)　内容

③　個人差に応じて授乳を行い、離乳を進めていく中で、様々な食品に少しずつ慣れ、食べることを楽しむ。

(ウ)　内容の取扱い

②　健康な心と体を育てるためには望ましい食習慣の形成が重要であることを踏まえ、離乳食が完了期へと徐々に移行する中で、様々な食品に慣れるようにするとともに、和やかな雰囲気の中で食べる喜びや楽しさを味わい、進んで食べようとする気持ちが育つようにすること。なお、食物アレルギーのある子どもへの対応については、嘱託医等の指示や協力の下に適切に対応すること。

2　1 歳以上 3 歳未満児の保育に関わるねらい及び内容

(1)　基本的事項

ア　この時期においては、歩き始めから、歩く、走る、跳ぶなどへと、基本的な運動機能が次第に発達し、排泄の自立のための身体的機能も整うようになる。つまむ、めくるなどの指先の機能も発達し、食事、衣類の着脱なども、保育士等の援助の下で自分で行うように

なる。発声も明瞭になり、語彙も増加し、自分の意思や欲求を言葉で表出できるようになる。このように自分でできることが増えてくる時期であることから、保育士等は、子どもの生活の安定を図りながら、自分でしようとする気持ちを尊重し、温かく見守るとともに、愛情豊かに、応答的に関わることが必要である。

(2) ねらい及び内容

ア　健康

(イ)　内容

②　食事や午睡、遊びと休息など、保育所における生活のリズムが形成される。

④　様々な食品や調理形態に慣れ、ゆったりとした雰囲気の中で食事や間食を楽しむ。

(ウ)　内容の取扱い

②　健康な心と体を育てるためには望ましい食習慣の形成が重要であることを踏まえ、ゆったりとした雰囲気の中で食べる喜びや楽しさを味わい、進んで食べようとする気持ちが育つようにすること。なお、食物アレルギーのある子どもへの対応については、嘱託医等の指示や協力の下に適切に対応すること。

④　食事、排泄（せつ）、睡眠、衣類の着脱、身の回りを清潔にすることなど、生活に必要な基本的な習慣については、一人一人の状態に応じ、落ち着いた雰囲気の中で行うようにし、子どもが自分でしようとする気持ちを尊重すること。また、基本的な生活習慣の形成に当たっては、家庭での生活経験に配慮し、家庭との適切な連携の下で行うようにすること。

ウ　環境

(イ)　内容

①　安全で活動しやすい環境での探索活動等を通して、見る、聞く、触れる、嗅ぐ、味わうなどの感覚の働きを豊かにする。

オ　表現

(イ)　内容

③　生活の中で様々な音、形、色、手触り、動き、味、香りなどに気付いたり、感じたりして楽しむ。

(3) 保育の実施に関わる配慮事項

ア　特に感染症にかかりやすい時期であるので、体の状態、機嫌、食欲などの日常の状態の観察を十分に行うとともに、適切な判断に基づく保健的な対応を心がけること。

3　3歳以上児の保育に関するねらい及び内容

(2) ねらい及び内容

ア　健康

(イ)　内容

⑤　保育士等や友達と食べることを楽しみ、食べ物への興味や関心をもつ。

⑦　身の回りを清潔にし、衣服の着脱、食事、排泄（せつ）などの生活に必要な活動を自分でする。

(ウ)　内容の取扱い

④　健康な心と体を育てるためには食育を通じた望ましい食習慣の形成が大切であることを踏まえ、子どもの食生活の実情に配慮し、和やかな雰囲気の中で保育士等や他の

子どもと食べる喜びや楽しさを味わったり、様々な食べ物への興味や関心をもったりするなどし、食の大切さに気付き、進んで食べようとする気持ちが育つようにすること。

第3章　健康及び安全

1　子どもの健康支援

(1)　子どもの健康状態並びに発育及び発達状態の把握

　ア　子どもの心身の状態に応じて保育するために、子どもの健康状態並びに発育及び発達状態について、定期的・継続的に、また、必要に応じて随時、把握すること。

　イ　保護者からの情報とともに、登所時及び保育中を通じて子どもの状態を観察し、何らかの疾病が疑われる状態や傷害が認められた場合には、保護者に連絡するとともに、嘱託医と相談するなど適切な対応を図ること。看護師等が配置されている場合には、その専門性を生かした対応を図ること。

　ウ　子どもの心身の状態等を観察し、不適切な養育の兆候が見られる場合には、市町村や関係機関と連携し、児童福祉法第25条に基づき、適切な対応を図ること。また、虐待が疑われる場合には、速やかに市町村又は児童相談所に通告し、適切な対応を図ること。

(2)　健康増進

　ア　子どもの健康に関する保健計画を全体的な計画に基づいて作成し、全職員がそのねらいや内容を踏まえ、一人一人の子どもの健康の保持及び増進に努めていくこと。

　イ　子どもの心身の健康状態や疾病等の把握のために、嘱託医等により定期的に健康診断を行い、その結果を記録し、保育に活用するとともに、保護者が子どもの状態を理解し、日常生活に活用できるようにすること。

(3)　疾病等への対応

　ア　保育中に体調不良や傷害が発生した場合には、その子どもの状態等に応じて、保護者に連絡するとともに、適宜、嘱託医や子どものかかりつけ医等と相談し、適切な処置を行うこと。看護師等が配置されている場合には、その専門性を生かした対応を図ること。

　イ　感染症やその他の疾病の発生予防に努め、その発生や疑いがある場合には、必要に応じて嘱託医、市町村、保健所等に連絡し、その指示に従うとともに、保護者や全職員に連絡し、予防等について協力を求めること。また、感染症に関する保育所の対応方法等について、あらかじめ関係機関の協力を得ておくこと。看護師等が配置されている場合には、その専門性を生かした対応を図ること。

　ウ　アレルギー疾患を有する子どもの保育については、保護者と連携し、医師の診断及び指示に基づき、適切な対応を行うこと。また、食物アレルギーに関して、関係機関と連携して、当該保育所の体制構築など、安全な環境の整備を行うこと。看護師や栄養士等が配置されている場合には、その専門性を生かした対応を図ること。

　エ　子どもの疾病等の事態に備え、医務室等の環境を整え、救急用の薬品、材料等を適切な管理の下に常備し、全職員が対応できるようにしておくこと。

2　食育の推進

(1)　保育所の特性を生かした食育

　ア　保育所における食育は、健康な生活の基本としての「食を営む力」の育成に向け、その基礎を培うことを目標とすること。

イ　子どもが生活と遊びの中で、意欲をもって食に関わる体験を積み重ね、食べることを楽しみ、食事を楽しみ合う子どもに成長していくことを期待するものであること。

ウ　乳幼児期にふさわしい食生活が展開され、適切な援助が行われるよう、食事の提供を含む食育計画を全体的な計画に基づいて作成し、その評価及び改善に努めること。栄養士が配置されている場合は、専門性を生かした対応を図ること。

(2)　食育の環境の整備等

ア　子どもが自らの感覚や体験を通して、自然の恵みとしての食材や食の循環・環境への意識、調理する人への感謝の気持ちが育つように、子どもと調理員等との関わりや、調理室など食に関わる保育環境に配慮すること。

イ　保護者や地域の多様な関係者との連携及び協働の下で、食に関する取組が進められること。また、市町村の支援の下に、地域の関係機関等との日常的な連携を図り、必要な協力が得られるよう努めること。

ウ　体調不良、食物アレルギー、障害のある子どもなど、一人一人の子どもの心身の状態等に応じ、嘱託医、かかりつけ医等の指示や協力の下に適切に対応すること。栄養士が配置されている場合は、専門性を生かした対応を図ること。

3　環境及び衛生管理並びに安全管理

(1)　環境及び衛生管理

ア　施設の温度、湿度、換気、採光、音などの環境を常に適切な状態に保持するとともに、施設内外の設備及び用具等の衛生管理に努めること。

イ　施設内外の適切な環境の維持に努めるとともに、子ども及び全職員が清潔を保つようにすること。また、職員は衛生知識の向上に努めること。

(2)　事故防止及び安全対策

ア　保育中の事故防止のために、子どもの心身の状態等を踏まえつつ、施設内外の安全点検に努め、安全対策のために全職員の共通理解や体制づくりを図るととともに、家庭や地域の関係機関の協力の下に安全指導を行うこと。

イ　事故防止の取組を行う際には、特に、睡眠中、プール活動・水遊び中、食事中等の場面では重大事故が発生しやすいことを踏まえ、子どもの主体的な活動を大切にしつつ、施設内外の環境の配慮や指導の工夫を行うなど、必要な対策を講じること。

ウ　保育中の事故の発生に備え、施設内外の危険箇所の点検や訓練を実施するとともに、外部からの不審者等の侵入防止のための措置や訓練など不測の事態に備えて必要な対応を行うこと。また、子どもの精神保健面における対応に留意すること。

食物アレルギー事故発生ロールプレイング

ねらい

　ロールプレイングを通して、実際の事故を経験し、実際の事故時に適切に行動できる力を身に着けましょう。

　ロールプレイングの観察者は評価シート（149頁）に自分の評価を記録します。ロールプレイングが終わったら、グループワークで議論しますので、しっかり観察し、よかったところや改善点を書き留めましょう。

　シナリオは三つあります。時間が許すなかで役割を変えながら実践してみましょう。

1　登場人物

　患児、保育所長、保育士（少なくとも3人）、園児（少なくとも2人）、進行役、イベント役

2　必要物品

　ストップウォッチ1個、タイマー2個、ブルーシート（床に横になるため）、エピペントレーナー、タオル

3　アイテム

☐個人アレルギー情報：事故現場にあり、進行役が持っています（147頁参照）。
☐症状チェックシート：事故現場にあり、進行役が持っています（148頁参照）。
☐緊急時セット：内服薬・エピペン®が一式セットになっており、事故現場にはなく別の場所にあります。

4　役割分担

1）進行役

・ロールプレイングの進行役です。本研修の講師が務めます。
・ストップウォッチで経過時間を計りながら、経過時間に応じて症状の説明をします。
・患児役にだけ、どのシナリオで進行するのかを事前に説明します。
・イベントが発生した場合、そのイベント発生を宣言し、内容説明をします。
・その他状況に併せて柔軟に進行します。

2）イベント役

・イベント役はイベント発生時のタイムキーパーとなります。イベントごとに登場人物に指示を出します。

・タイマーを使うイベントは四つあります。

| ①保育所長を呼ぶ（60秒） | ③内服薬を飲ませる（60秒） |
| ②緊急時セットを取りに行く（60秒） | ④救急要請（120秒） |

複数のイベントが同時に発生することもあるので、混乱しないように実施します。

3）患児

・進行役が症状に関して説明するので、進行役の指示どおり迫真の演技をします。

・進行役の説明していない症状は保育士役等から問いかけがあっても"現れていない"ものとして受け答えします。

・進行役が特に説明しなければ、症状は変化がないものとして演技します。

・どのシナリオでいくのか、進行役に事前に聞き、心構えをします。

・エピペン®注射のときは嫌がってください。おとなしく注射される子どもなどいません。

4）保育所長・保育士

・保育所長はシナリオ開始時には現場とは別の保育所長室にいます。進行役からの合図があるまで舞台袖に待機します。

・保育士はシナリオ開始時、給食介助をしています。

・保育士も保育所長も状況の変化に併せて自由に発言し行動します。どのシナリオが行われるのかは事前に知らされません。

・行動をするときは、その内容（例「エピペンを打ちます」等）を進行役に向かってはっきり大きな声で発信してください。進行役はそれを聞いてイベント発生させ、指示を出します。なお、イベントとしては次の八つがあります。

①保育所長を呼ぶ	⑤医療機関へ向かう
②緊急時セットを取りに行く	⑥内服薬を飲ませる
③保護者に連絡する	⑦救急要請
④主治医など医師に連絡する	⑧エピペン®を打つ

5）その他の子ども

・子どもの気持ちで自由に発言し行動します。子どもたちは事故対応する保育士らの行動を妨げても構いません。というよりも、子どもらしく妨げてください。

5　シナリオ（進行役、イベント役、患児役以外の人はロールプレイング前に読まないでください）

＜対象児背景＞

5歳女児（詳細はアイテム1　生活管理指導表（147頁）に記載）

1）シナリオA

開始**0**秒　　セリフ1　「それでは俳優の皆さん、準備はよろしいでしょうか。シナリオを開始します。皆さん、役になりきって自由にアドリブを入れながら活発にお願いします。リラックスして、今年度の日本アカデミー賞を取りにいきましょう。それ以外の皆さんは、俳優の皆さんの対応をつぶさに観察して、問題点を書き留めてください。ロールプレイが終了したら、グループディスカッションします。メモの準備は大丈夫ですか？」
　　　　　　　　「それでは給食の時間が始まります」

開始**30**秒後　セリフ2　「まゆみちゃんの顔に数個の発疹があることに、保育士Cが気づきます」
　　　　　　▶症状を観察する素振りがあったら、そのつど
　　　　　　セリフ3　「まゆみちゃんの発疹は顔だけで、かゆみはほとんどありません」

開始**2**分後　セリフ4　「まゆみちゃんの発疹は首まで広がりましたが、体には出ていません。軽いかゆみがあります」
　　　　　　▶その後、症状を観察する素振りがあったら、そのつど
　　　　　　セリフ5　「状況は変わりません」

開始**5分30秒後**　セリフ6　「このシナリオはこれ以上症状の進行はありません。それでは振り返ってみましょう」

以下の条件を満たしたらシナリオAは終了とします。
・開始から5分30秒経過した場合
・【イベント5　医療機関へ向かう】が発生した場合
・【イベント7　救急要請】が発生し要請が終了した場合

2）シナリオB

開始 **0** 秒　セリフ1　「それでは俳優の皆さん、準備はよろしいでしょうか。シナリオを開始します。皆さん、役になりきって自由にアドリブを入れながら活発にお願いします。リラックスして、今年度の日本アカデミー賞を取りにいきましょう。それ以外の皆さんは、俳優の皆さんの対応をつぶさに観察して、問題点を書き留めてください。ロールプレイが終了したら、グループディスカッションします。メモの準備は大丈夫ですか？」
「それでは給食の時間が始まります」

開始 **30** 秒後　セリフ2　「まゆみちゃんの顔に数個の発疹があることに、保育士Cが気づきます」
▶症状を観察する素振りがあったら、そのつど
セリフ3　「まゆみちゃんの発疹は顔だけで、かゆみはほとんどありません」

開始 **2** 分後　セリフ4　「まゆみちゃんの発疹は首まで広がりましたが、体には出ていません。軽いかゆみがあります」
▶その後、症状を観察する素振りがあったら、そのつど
セリフ5　「状況は変わりません」

開始 **4** 分後　セリフ6　「まゆみちゃんがおなかを軽く痛がり、弱い咳をし始めました」
▶その後、症状を観察する素振りがあったら、そのつど
セリフ7　「状況は変わりません」

開始 **5** 分後　セリフ8　「まゆみちゃんの咳が少し多くなりましたが、ゼイゼイはしておらず苦しくもありません。おなかの痛みは変わらず弱くあります。発疹は広がってきません」
▶その後、症状を観察する素振りがあったら、そのつど
セリフ9　「状況は変わりません」

開始 **7** 分後　セリフ10　「本症例をこの状態でこれ以上経過観察することは危険です。シナリオを強制終了します。それでは振り返ってみましょう」

以下の条件を満たしたらシナリオBは終了とします。
・開始から7分経過した場合
・【イベント5　医療機関へ向かう】が発生した場合
・【イベント7　救急要請】が発生し、要請が終了した場合
セリフ11　「本シナリオはこれで終了です。それでは振り返ってみましょう」

3) シナリオC

開始 ⓪秒　　[セリフ1]　「それでは俳優の皆さん、準備はよろしいでしょうか。シナリオを開始します。皆さん、役になりきって自由にアドリブを入れながら活発にお願いします。リラックスして、今年度の日本アカデミー賞を取りにいきましょう。それ以外の皆さんは、俳優の皆さんの対応をつぶさに観察して、問題点を書き留めてください。ロールプレイが終了したら、グループディスカッションします。メモの準備は大丈夫ですか？」
「それでは給食の時間が始まります」

開始 ㉚秒後　　[セリフ2]　「まゆみちゃんの顔に数個の発疹があることに、保育士Cが気づきます」
　▶症状を観察する素振りがあったら、そのつど
　[セリフ3]　「まゆみちゃんの発疹は顔だけで、かゆみはほとんどありません」

開始 ②分後　　[セリフ4]　「まゆみちゃんの発疹は首まで広がりましたが、体には出ていません。軽いかゆみがあります」
　▶その後、症状を観察する素振りがあったら、そのつど
　[セリフ5]　「状況は変わりません」

開始 ④分後　　[セリフ6]　「まゆみちゃんがおなかを軽く痛がり、弱い咳が出始めました」
　▶その後、症状を観察する素振りがあったら、そのつど
　[セリフ7]　「状況は変わりません」

開始 ⑤分後　　[セリフ8]　「まゆみちゃんが吐きました。咳が少し強くなりましたが、苦しくはありません。横になりたがっています。受け答えははっきりしています」
　▶その後、症状を観察する素振りがあったら、そのつど
　[セリフ9]　「状況は変わりません」

開始 ⑦分後　　[セリフ10]　「まゆみちゃんの咳がますます強くなり、苦しい様子です。横になって受け答えも十分ではなくなり始めました」

開始 ⑧分後　　[セリフ11]　「まゆみちゃんの意識がありません」
　▶【イベント8　エピペン®を打つ】が発生していなければ
　[セリフ12]　「本症例をこの状態でこれ以上経過観察することは危険です。シナリオを強制終了します。それでは振り返ってみましょう」

以下の条件を満たしたらシナリオCは終了とします。
・開始から8分経過した場合
・【イベント8　エピペン®を打つ】が発生し、注射を完了した場合

6　発生イベント （進行役、イベント役以外の人はロールプレング前に読まないでください）

　ロールプレイング中に以下のイベントが発生したとき、進行役がイベント発生を宣言し、以下の進行をします。無理にイベントを発生させる必要はありません。状況に応じた行動を心がけましょう。

イベント1 \\\\\ 保育所長を呼ぶ

（進行役はストップウォッチを止めます）

`セリフ`「保育所長を呼ぶイベント発生です。保育士の誰が保育所長を呼びに行きますか？」

（担当保育士が決まったら、担当保育士に対して）

`セリフ`「担当保育士は舞台から降りてください。保育所長を連れてくるまでしばらく時間がかかります。呼びに行った保育士と保育所長は合図があったら舞台に登場してください。イベント役は60秒後に登場の合図を出してください。それではシナリオを再開してください」

（進行役はストップウォッチを再開し、イベント役が60秒後に2人に登場の合図をします）

イベント2 \\\\\ 緊急時セットを取りに行く

（進行役はストップウォッチを止めます）

`セリフ`「緊急時セットを取りに行くイベント発生です。保育士の誰がセットを取りに行きますか？」

（担当保育士が決まったら、担当保育士に対して）

`セリフ`「担当保育士は舞台から降りてください。戻ってくるまでしばらく時間がかかります。取りに行った保育士は合図があったら舞台に戻ってください。イベント役は60秒後に登場の合図を出してください。それではシナリオを再開してください」

（進行役はストップウォッチを再開し、イベント役が60秒後に登場の合図をします）

イベント3 \\\\\ 保護者に連絡する

（進行役はストップウォッチを止めます）

`セリフ`「保護者に連絡イベント発生です。保育士の誰が保護者に連絡する係になりますか？」

（担当保育士が決まったら、担当保育士に対して）

`セリフ`「保護者には何を伝えますか？」

（担当保育士が何か答えたら）

`セリフ`「担当保育士は舞台から降りてください。保護者にはすぐに連絡がつかないため、舞台にはもう戻りません。それではシナリオを再開してください」

（進行役はストップウォッチを再開します）

（進行役はストップウォッチを止めます）

セリフ　「主治医など医師に連絡イベント発生です。保育士の誰が医師に連絡する係になりますか？」

（担当保育士が決まったら、担当保育士に対して）

セリフ　「医師には何を伝えますか？」

（担当保育士が何か答えたら）

セリフ　「担当保育士は舞台から降りてください。医師にはすぐに連絡がつかないため、舞台にはもう戻りません。それではシナリオを再開してください」

（進行役はストップウォッチを再開します）

イベント5 \\\ 医療機関へ向かう

（進行役はストップウォッチを止めます）

セリフ　「医療機関へ向かうイベント発生です。保育士の誰が交通の手配をしますか？」

（担当保育士が決まったら、担当保育士に対して）

セリフ　「担当保育士は舞台から降りてください。交通の手配がすぐにつかないため、もう舞台には戻りません。それではシナリオを再開してください」

（進行役はストップウォッチを再開します）

※本ロールプレイングでは自力で医療機関へは向かえない設定（タクシー、自家用車は使わない）とします。進行役はこれを了解して進行してください。

イベント6 \\\ 内服薬を飲ませる

▶**緊急時セットを取りに行くイベントがまだ発生していなければ**

セリフ　「緊急時セットがなければ飲ませられません」

▶**緊急時セットが現場にあれば**

（進行役はストップウォッチを止めます）

セリフ　「内服薬を飲ませるイベント発生です。誰が内服薬を飲ませますか？」

（担当保育士が決まったら）

セリフ　「飲ませるのに60秒かかります。飲ませる役の保育士は60秒間ほかの作業ができません。イベント役は60秒後に合図を出してください」

（進行役はストップウォッチを再開し、イベント役が60秒後に合図を出します）

セリフ　「内服薬を準備し、飲ませています。シナリオを再開してください」

（進行役はストップウォッチを止めます）

[セリフ] 「救急要請イベント発生です。保育士の誰が救急要請係になりますか？」

（担当保育士が決まったら）

[セリフ] 「それではこれから119番に連絡するロールプレイングを行います。私が救急役をします」

[セリフ] 「プルプルプル（電話音）、ガチャ。はい！　○×救急です。火事ですか？　救急ですか？」

（回答を待つ）

[セリフ] 「住所はどこですか？」

（回答を待つ。適当な住所でよい）

[セリフ] 「どうしましたか？」

（回答を待つ）

[セリフ] 「あなたの名前と、連絡先を教えてください」

（回答を待つ。適当な連絡先でよい）

[セリフ] 「それではすぐにそちらに向かいます」

[セリフ] 「一般的に救急隊は要請から現場到着まで平均で6分かかるといわれています。」

▶ シナリオAで救急要請した場合

[セリフ] 「本シナリオはこれ以上の症状の進行はなく、軽症ですみました。シナリオは終了です。それでは振り返ってみましょう」

▶ シナリオBまたはCで救急要請した場合

[セリフ] 「救急要請係は今のような通話をする必要があるので、2分間現場には戻りません。しばらく舞台から降りてください。イベント役は2分後に合図を出してください。それでは元のシナリオを再開してください」

（進行役はストップウォッチを再開し、イベント役が2分後に登場の合図をします）

▶ 【イベント2　緊急時セットを取りに行く】がまだ発生していなければ

[セリフ] 「緊急時セットがなければ打てません」

▶ 緊急時セット（エピペン®など）が現場にあれば

（進行役はストップウォッチを止めます）

[セリフ] 「エピペンを打つイベント発生です。誰が打ちますか？」

（打つ人が決まったら）

[セリフ] 「ほかに発生させるイベントはありませんか？」

i) 救急要請イベントの判断なし

セリフ 「エピペンを打つときは同時に救急要請もしますので、よく覚えておきましょう。ここでは強制的に救急要請イベントを発生させます」

➡【イベント7 救急要請】へ。イベント終了後、エピペン®注射に移る

ii) 救急要請イベントの判断あり

セリフ 「本来エピペン注射と救急要請は同時進行ですが、ここでは救急要請を先にイベント発生させます」

➡【イベント7 救急要請】へ。イベント終了後、エピペン®注射に移る

▶**救急要請イベント後にエピペン®注射**

（ストップウォッチは止めたままで）

セリフ 「それでは続けてエピペン注射イベントが発生します。エピペンを注射する人は誰ですか？」

（エピペン®を打つ人が決まったら）

セリフ 「エピペンはスタッフが総出で打つことになります。あなたが指示を出してエピペンを打ってください。あなたはエピペンを注射し終わるまで、注射の注意点を一つひとつ声に出しながら実施してください。注射を終了したら、「注射が終了しました」と報告してください。それではシナリオを再開します」

（注射を完了したら）

▶**シナリオAの場合**

セリフ 「エピペンを注射しても状況に大きな変化はありませんでした。救急車のサイレンが聞こえてきます。これでシナリオAは終了です。それでは振り返ってみましょう。」

▶**シナリオBの場合**

セリフ 「エピペンを注射して、子どもの状態は回復してきました。救急車のサイレンが近づいてきます。これでシナリオBは終了です。それでは振り返ってみましょう」

▶**シナリオCの場合**

セリフ 「エピペンを注射して、子どもの状態は回復してきました。救急車のサイレンが近づいてきます。これでシナリオCは終了です。それでは振り返ってみましょう」

7 アイテム

＜アイテム1＞

生活管理指導表

（参考様式） ※「保育所におけるアレルギー対応ガイドライン」（2019年改訂版）

保育所におけるアレルギー疾患生活管理指導表 （食物アレルギー・アナフィラキシー・気管支ぜん息）

★保護者 電話：090-####-####
★連絡医療機関 医療機関名：田中こどもクリニック
電話：03-＊＊＊＊-＊＊＊＊

名前 ○× まゆみ 男・⦅女⦆_____年___月___日生（5歳___ヶ月） きりん 組　　提出日　　年　月　日

※この生活管理指導表は，保育所の生活において特別な配慮や管理が必要となった子どもに限って，医師が作成するものです。

食物アレルギー		病型・治療	保育所での生活上の留意点	記載日　　年　月　日
アナフィラキシー（あり・なし） 食物アレルギー（あり・⦅なし⦆）		A. 食物アレルギー病型 1. 食物アレルギーの関与する乳児アトピー性皮膚炎 ②. 即時型 3. その他（新生児・乳児消化管アレルギー・口腔アレルギー症候群・ 　食物依存性運動誘発アナフィラキシー・その他（　）） B. アナフィラキシー病型 1. 食物（原因：　　　） 2. その他（医薬品・食物依存性運動誘発アナフィラキシー・ラテックスアレルギー・ 　昆虫・動物のフケや毛） C. 原因食品・除去根拠 　該当する食品の番号に○をし、かつ《 》内に除去根拠を記載 1. 鶏卵　　《 1・2・3 　》 2. 牛乳・乳製品《 1・2・3 　》 3. 小麦　　《　　　》 4. ソバ　　《　　　》 5. ピーナッツ《　　　》 6. 大豆　　《　　　》 7. ゴマ　　《　　　》 8. ナッツ類＊《　　　》 9. 甲殻類＊《　　　》 10. 軟体類・貝類＊《　　　》 11. 魚卵＊　《　　　》 12. 魚類＊　《　　　》 13. 肉類＊　《　　　》 14. 果物類＊《　　　》 15. その他（　　　） ［除去根拠］ 該当するもの全てを《 》内に番号を記載 ① 明らかな症状の既往 ② 食物経口負荷試験陽性 ③ IgE抗体等検査結果陽性 ④ 未摂取 （すべて・クルミ・カシューナッツ・アーモンド・） （すべて・エビ・カニ・） （すべて・イカ・タコ・ホタテ・アサリ・） （すべて・イクラ・タラコ・） （すべて・サバ・サケ・） （鶏肉・牛肉・豚肉・） （キウイ・バナナ・） 「＊は（ ）の中の該当する項目に○をするか具体的に記載すること」 D. 緊急時に備えた処方薬 ①. 内服薬（抗ヒスタミン薬、ステロイド薬） ②. アドレナリン自己注射薬「エピペン®」 3. その他（　　　）	A. 給食・離乳食 1. 管理不要 ②. 管理必要（管理内容については、病型・治療のC. 欄及び下記C. E欄を参照） B. アレルギー用調整粉乳 ①. 不要 2. 必要　下記該当ミルクに○、又は（ ）内に記入 ミルフィーHP・ニューMA-1・MA-mi・ペプディエット・エレメンタルフォーミュラ その他（　　　） C. 除去食品においてより厳しい除去が必要なもの 病型・治療のC. 欄で除去の際に、より厳しい除去が必要なもののみに○をつける ※本欄に○がついた場合、該当する食品を使用した料理については、給食対応が困難となる場合があります。 1. 鶏卵：　卵殻カルシウム 2. 牛乳・乳製品：乳糖 3. 小麦：　　醤油・酢・麦茶 6. 大豆：　　大豆油・醤油・味噌 7. ゴマ：　　ゴマ油 12. 魚類：　かつおだし・いりこだし 13. 肉類：　エキス D. 食物・食材を扱う活動 1. 管理不要 2. 原因食材を教材とする活動の制限（　　） 3. 調理活動時の制限（　　） 4. その他（　　　） E. 特記事項 （その他に特別な配慮や管理が必要な事項がある場合には、医師が保護者と相談のうえ記載。対応内容は保育所が保護者と相談のうえ決定） **緊急時はマニュアル準拠**	医師名 **田中一郎** 医療機関名 **田中こどもクリニック** 電話 **03-＊＊＊＊-＊＊＊＊**

気管支ぜん息（あり・なし）	病型・治療		保育所での生活上の留意点		記載日　　年　月　日
	A. 症状のコントロール状態 1. 良好 2. 比較的良好 3. 不良 B. 長期管理薬 （短期追加治療薬を含む） 1. ステロイド吸入薬 　剤形： 　投与量（日）： 2. ロイコトリエン受容体拮抗薬 3. DSCG吸入薬 4. ベータ刺激薬（内服・貼付薬） 5. その他（　　）	C. 急性増悪（発作）治療薬 1. ベータ刺激薬吸入 2. ベータ刺激薬内服 3. その他（　　） D. 急性増悪（発作）時の対応 （自由記載）	A. 寝具に関して 1. 管理不要 2. 防ダニシーツ等の使用 3. その他の管理が必要 B. 動物との接触 1. 管理不要 2. 動物への反応が強いため不可 　動物名（　　） 3. 飼育活動等の制限（　　）	C. 外遊び、運動に対する配慮 1. 管理不要 2. 管理必要 　（管理内容　　） D. 特記事項 （その他に特別な配慮や管理が必要な事項がある場合には、医師が保護者と相談のうえ記載。対応内容は保育所が保護者と相談のうえ決定）	医師名 医療機関名 電話

● 保育所における日常の取り組み及び緊急時の対応に活用するため、本表に記載された内容を保育所の職員及び消防機関・医療機関等と共有することに同意しますか。
・ 同意する
・ 同意しない　　　　保護者氏名

＜アイテム2＞

個人アレルギー情報

まゆみちゃん　5歳　女児

【鶏卵、牛乳アレルギー（それぞれ完全除去中）】

アナフィラキシーの既往があるが、アナフィラキシーショックの既往はない。

内服薬とエピペン®を預かっている（事務室にあり）。

しっかり屋さんで、年齢よりも大人びており、日頃の受け答えもしっかりできる。

両親共働きである。連絡先　090-1234-＊＊＊＊（母）

主治医からの指示：マニュアル準拠でよい

<アイテム3＞
症状チェックシート

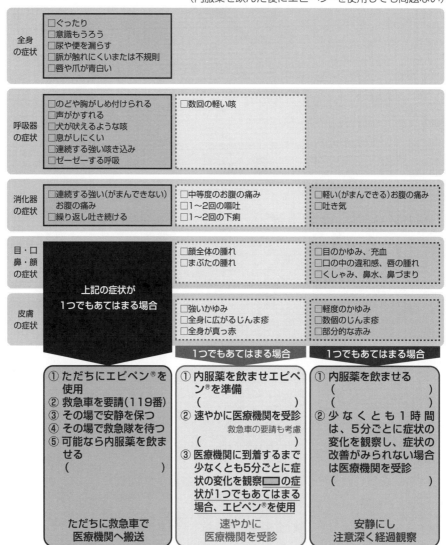

出典：独立行政法人環境再生保全機構　ERCA（エルカ）「食物アレルギー緊急時対応マニュアル」
（https://www.erca.go.jp/yobou/pamphlet/form/00/archives_27015.html）より抜粋

8 ロールプレイング評価シート

ロールプレイング観察者は気づいたことをシートに記録して、グループディスカッションで改善点などを話し合いましょう。

1）イベントに関する評価

イベント発生タイミングの適否に関して、適当でないと考える場合は、その理由をカッコ内に記します。また、イベント発生時の対応の問題点も評価しましょう。

イベント	発生タイミングの適否	対応の問題点
保育所長を呼ぶ	適 否（　　　　　）	
緊急時セットを取りに行く	適 否（　　　　　）	
保護者に連絡する	適 否（　　　　　）	
医師に連絡する	適 否（　　　　　）	
医療機関へ向かう	適 否（　　　　　）	
内服薬を飲ませる	適 否（　　　　　）	
救急要請	適 否（　　　　　）	
エピペン®を打つ	適 否（　　　　　）	

2）スタッフ間連携の改善点

3）エピペン®の打ち方の改善点

4）その他（自由記述）

【表面】保育所におけるアレルギー疾患生活管理指導表（食物アレルギー・アナフィラキシー・気管支ぜん息）

名前＿＿＿　男・女　＿＿年＿＿月＿＿日生（　歳　ヶ月）　　　　組

※ この生活管理指導表は、保育所の生活において特別な配慮や管理が必要となった子どもに限って、医師が作成するものです。

食物アレルギー（あり・なし）／アナフィラキシー（あり・なし）

病型・治療

A. 食物アレルギー病型
1. 食物アレルギーの関与する乳児アトピー性皮膚炎
2. 即時型
3. その他（新生児・乳児消化管アレルギー・口腔アレルギー症候群・食物依存性運動誘発アナフィラキシー・その他：　）

B. アナフィラキシー病型
1. 食物（原因：　）
2. その他（医薬品・食物依存性運動誘発アナフィラキシー・ラテックスアレルギー・昆虫・動物のフケや毛）

C. 原因食品・除去根拠
1. 鶏卵　2. 牛乳・乳製品　3. 小麦　4. ソバ　5. ピーナッツ　6. 大豆　7. ゴマ　8. ナッツ類　9. 甲殻類　10. 軟体類・貝類　11. 魚卵　12. 魚類　13. 肉類　14. 果物類　15. その他

D. 緊急時に備えた処方薬
1. 内服薬（抗ヒスタミン薬、ステロイド薬）
2. アドレナリン自己注射薬「エピペン®」
3. その他（　）

保育所での生活上の留意点

A. 給食・離乳食
1. 管理不要
2. 管理必要（管理内容については、病型・治療のC. 欄及びD. 欄を参照）

B. アレルギー用調整粉乳
1. 不要
2. 必要　下記該当ミルクに○、又は（　）内に記入
　ミルフィーHP・ニューMA-1・MA-mi・ペプディエット・エレメンタルフォーミュラ　その他（　）

C. 除去食品においてより厳しい除去が必要なもの
　卵殻カルシウム・乳糖・醤油・酢・麦茶・大豆油・醤油・味噌・ゴマ油・かつおだし・いりこだし・エキス・肉類

D. 食物・食材を扱う活動
1. 管理不要
2. 原因食材を教材とする活動の制限（　）
3. 調理活動時の制限（　）
4. その他（　）

E. 特記事項

気管支ぜん息（あり・なし）

病型・治療

A. 症状のコントロール状態
1. 良好　2. 比較的良好　3. 不良

B. 長期管理薬（短期追加治療薬を含む）
1. ステロイド吸入薬
2. ロイコトリエン受容体拮抗薬
3. DSCG吸入薬
4. ベータ刺激薬（内服・貼付薬）
5. その他（　）

C. 急性増悪（発作）治療薬
1. ベータ刺激薬吸入
2. ベータ刺激薬内服
3. その他（　）

D. 急性増悪（発作）時の対応（自由記載）

保育所での生活上の留意点

A. 寝具に関して
1. 管理不要
2. 防ダニシーツ等の使用
3. その他の管理が必要（　）

B. 動物との接触
1. 管理不要
2. 動物への反応が強いため不可
3. 飼育活動等の制限（　）

C. 外遊び、運動に対する配慮
1. 管理不要
2. 管理必要（管理内容　）

D. 特記事項

保護者氏名＿＿＿

記載日　　年　月　日
医師名
医療機関名
電話

151

【裏面】　保育所におけるアレルギー疾患生活管理指導表　（アトピー性皮膚炎・アレルギー性結膜炎・アレルギー性鼻炎）

名前　＿＿＿＿＿＿　男・女　＿＿年＿＿月＿＿日生（＿＿歳＿＿ヶ月）　＿＿＿＿＿＿組　　　提出日　＿＿＿＿年＿＿月＿＿日

※ この生活管理指導表は、保育所の生活において特別な配慮や管理が必要となった子どもに限って、医師が作成するものです。

アトピー性皮膚炎　（あり・なし）

病型・治療

A. 重症度のめやす（厚生労働科学研究班）
1. 軽症：面積に関わらず、軽度の皮疹のみみられる。
2. 中等症：強い炎症を伴う皮疹が体表面積の10％未満にみられる。
3. 重症：強い炎症を伴う皮疹が体表面積の10％以上、30％未満にみられる。
4. 最重症：強い炎症を伴う皮疹が体表面積の30％以上にみられる。
※軽度の皮疹：軽度の紅斑、乾燥、落屑主体の病変
※強い炎症を伴う皮疹：紅斑、丘疹、びらん、浸潤、苔癬化などを伴う病変

B-1. 常用する外用薬
1. ステロイド軟膏
2. タクロリムス軟膏（「プロトピック®」）
3. 保湿剤
4. その他（　　　　）

B-2. 常用する内服薬
1. 抗ヒスタミン薬
2. その他（　　　）

C. 食物アレルギーの合併
1. あり
2. なし

保育所での生活上の留意点

A. プール・水遊び及び長時間の紫外線下での活動
1. 管理不要
2. 管理必要（　　　）

B. 動物との接触
1. 管理不要
2. 動物への反応が強いため不可
　動物名（　　　　）
3. 飼育活動等の制限（　　　）

C. 発汗後
1. 管理不要
2. 管理必要（管理内容：　　　）
3. 夏季シャワー浴
　（施設で可能な場合）

D.特記事項
（その他に特別な配慮や管理が必要な事項がある場合には、医師が保護者と相談のうえ記載。対応内容は保育所が保護者と相談のうえ決定）

記載日　　　　年　　月　　日
医師名
医療機関名
電話

アレルギー性結膜炎　（あり・なし）

病型・治療

A. 病型
1. 通年性アレルギー性結膜炎
2. 季節性アレルギー性結膜炎（花粉症）
3. 春季カタル
4. アトピー性角結膜炎
5. その他（　　　）

B. 治療
1. 抗アレルギー点眼薬
2. ステロイド点眼薬
3. 免疫抑制点眼薬
4. その他（　　　）

保育所での生活上の留意点

A. プール指導
1. 管理不要
2. 管理必要（管理内容：　　　）
3. プールへの入水不可

B. 屋外活動
1. 管理不要
2. 管理必要（管理内容：　　　）

C.特記事項
（その他に特別な配慮や管理が必要な事項がある場合には、医師が保護者と相談のうえ記載。対応内容は保育所が保護者と相談のうえ決定）

記載日　　　　年　　月　　日
医師名
医療機関名
電話

アレルギー性鼻炎　（あり・なし）

病型・治療

A. 病型
1. 通年性アレルギー性鼻炎
2. 季節性アレルギー性鼻炎（花粉症）　主な症状の時期：春・夏・秋・冬

B. 治療
1. 抗ヒスタミン薬・抗アレルギー薬（内服）
2. 鼻噴霧用ステロイド薬
3. 舌下免疫療法
4. その他（　　　）

保育所での生活上の留意点

A. 屋外活動
1. 管理不要
2. 管理必要（管理内容：　　　）

B. 特記事項
（その他に特別な配慮や管理が必要な事項がある場合には、医師が保護者と相談のうえ記載。対応内容は保育所が保護者と相談のうえ決定）

記載日　　　　年　　月　　日
医師名
医療機関名
電話

● 保育所における日常の取り組み及び緊急時の対応に活用するため、本表に記載された内容を保育所の職員及び消防機関・医療機関等と共有することに同意しますか。
　・同意する
　・同意しない

保護者氏名　＿＿＿＿＿＿＿＿＿

演習の進め方

演習の方法

演習実施のポイント

　本テキストは、「監修のことば」にあるように、キャリアアップ研修で受けた内容が園内研修にも活用されることを願っています。したがって、すべての巻を通じて、執筆者一同が知恵を出し、さまざまな形態の演習を盛り込んで内容を構成しました。受講生の皆さんは、本テキストを通じてさまざまな形態の演習を体験してください。そして、園内に帰ったときには、あなたが中心になって園内研修を進めていくことを望みます。

　ここでは演習の基本的な進め方のポイントを紹介します。キャリアアップ研修を担当する講師の方は、テキストに出てくる演習課題を実施するうえでの参考にしてください。受講生の皆さんは、園内研修を進めるときに活用してもらいたいと思います。

個人で行う演習

　テキストに掲載されている演習のうち、受講生が各自で行うものがあります。園内研修においても、保育士等が各自で実践を整理することがあるでしょう。個々人で行う演習の多くは、グループで話し合う前の準備として行われます。したがって、個々人で行う演習を有効に進めることは、その後のグループでの話し合いの効果を高めるためにも重要です。ここでは、「目的の伝達」「手順の明示」「まとめ」の順に、個々人で行う演習のポイントを示します。

◎目的の伝達

　演習を実施する前に、「なぜその演習をする必要があるのか」を必ず伝えましょう。それがないなかで進めると、目的意識が不十分なままで中途半端な演習に終わってしまいます。その後にグループでの話し合いがある場合には、なおさら個々人の演習の充実が大切です。

　個々人の演習においては、自身の経験を思い返し、整理できるようにすることが求められます。その整理された内容をもとに、グループでの話し合いを通じて、自身の経験の意味を問い直したり、別の視点から考えるきっかけを得たりできるようにつなげることが大切です。そのため、個々人の演習の目的を伝える際には、同時にその後グループで話し合うテーマも伝えておきましょう。

◎手順の明示

　目的を伝達した後に、演習の内容とスケジュールを説明します。「何をどのぐらいの時間を使って行うのか」をホワイトボードや配布資料などを使って視覚化して明示しましょう。そうすることで演習の手順に見通しがもてますし、忘れたら確認しながら進めることができます。その際、個々人で演習にかかる時間に違いが生じることを想定します。早く終わった人には、次にグループで話し合うときの準備を意識してもらうなど、進捗状況を見ながら間延びしないような指示が出せるようにしておきましょう。

◎まとめ

演習を通して学んだことを整理して伝えます。演習中に全員の様子を見て、ほかの人の参考になりそうな意見や考えをメモしておきます。多様な視点からの解釈や分析を行った人たちに説明してもらったりしてもいいでしょう。また、隣同士や近くの人と演習の結果を共有する時間をもつのも有効です。

そして、演習の最後にどういったことを学んだか全体に話しましょう。その際、必ず事前に伝えておいた目的と対応させます。さらに、印象に残るような言葉やキーワードを入れて、学んだことを実感しやすいようにすると成果を実感しやすくなるでしょう。

📚 複数（グループ）で話し合う演習

複数で進める演習の場合、「各自が感じたことや考えたことを話したけれど、トピックがバラバラでまとまりがなかった」「積極的に話が出なかったため、一人ずつ当てて順番に話をしていった」という状況は望ましくありません。そこで、次の項目について留意しましょう。

◎目的の伝達と素材の確認

まずは個々人の演習と同様に演習の目的を伝えます。その際、グループで話し合うときに使用する素材も同時に確認しましょう。使用する素材や教材は、演習によって異なります。個々人で持参したものもあれば、事前に個々人の演習を通して準備したものもあるでしょう。目的を伝える際には、その素材も用いて説明することでグループでの話し合いのイメージがつかみやすくなります。

例えば、「持参した記録や写真から子どもの気持ちを読みとるため」「先ほど個々人の演習で整理した内容をもとに、各自のこれまでの経験を共有し、多様な視点を知るため」など、丁寧に説明しましょう。グループのメンバーが目的を共有することが話し合いを有効に進める最初のステップです。

◎グループの人数と分け方

グループの人数は、1グループ3〜6名程度の小グループが望ましいです。グループの分け方は、似た立場から話を深めるようなテーマであれば、同質性を重視して、担当クラス別、経験年数別など、共通項の多い者同士で構成します。一方、多様な意見から気づきを促すような演習のテーマであれば、異質性を重視して、共通項の少ない者同士を組ませるようにします。

◎アイスブレイクの方法

グループで話し合いをする際、緊張した雰囲気がある場合には、最初にメンバーの気持ちが和むようにアイスブレイクを用いることがあります。数分でできるものをいくつか紹介します。

①後出しジャンケン

「ジャンケン、ぽん、ぽん、ぽん」のかけ声で行う。先出しの人は最初の「ぽん」でグー・チョキ・パーのいずれかを出す。後出しの人は、それに合わせて、2番目の「ぽん」で「あいこ」に

なるものを、最後の「ぽん」で「負け」になるものを出す。

②特徴を記憶しよう

　グループで円になって順番を決める。1人目の人が、名前と趣味を言う。2人目の人は、1人目の人の特徴を含めて、「○○が趣味の◇◇さんの隣の」の後に自分の名前と趣味を言う。そのようにして、メンバーの特徴をつなげていき、どこまで覚えていられるか挑戦する。
＊「趣味」の部分は、誕生日、担当クラス、好きな食べ物などに変えたり、増やしてもOK。

③共通項を見つけよう

　グループに分かれて簡単な自己紹介をした後、3〜5分の時間を取り、メンバーの共通項を考えられるだけあげてもらう。いくつかのグループに何個の共通項が見つかって、どのような内容だったかを発表してもらう。
＊見つける時間は、人数によって調整する。

◎手順の明示と演習の役割分担

　個々人の演習のときと同様に、手順を視覚化して明示します。複数での話し合いの手順としては、①話し合いの時間、②記録をまとめる時間、③全体に向けて報告する時間、の三つに分けられます。それぞれに要する時間と全体のスケジュールを伝えます。ただし、スケジュールどおりにいくのがよいのではなく、受講生の状況をみてそのつど柔軟に考える視点も大切にしましょう。また、話し合いの時間に入る前には必ず話し合いのテーマを強調しましょう。

　そうすることで、話が横道にそれることを防ぎます。さらに、話し合いの際の役割分担も決めます。主には、司会、記録者、発表者の三つです。

　司会は、発言者が偏らないように配慮しながら話し合いを進めます。場を和ませる必要を感じた場合、アイスブレイクを入れて参加者の緊張をほぐします。進め方のポイントは、クローズドクエスチョン（「はい」か「いいえ」で答えられるような質問）から始めて、オープンクエスチョン（「5W1H」を入れて相手が自由に返答できる質問）に移行することです。最初に、答えやすいクローズドクエスチョンで発言しやすい雰囲気にしたうえで、感情や考えを引き出すオープンクエスチョンに変えると、話し合いがスムーズに進むことが多いです。

　記録者は、話し合いの内容を記録します。基本的には、時系列で誰がどういった発言をしたのかを要約して記録しましょう。その際、疑問に思ったことや発言内容の意図がわかりにくかった場合などは、そのつど発言者に確認しましょう。記録をまとめる時間では、話し合われた内容を概略して、グループのメンバーに投げかけます。メンバーの意見を聞きながら、自分の概略が妥当かどうか確認しましょう。

　発言者は、記録をまとめる時間を通して、発表時間に合わせて何を発表するのかを整理し、グループのメンバーに確認しましょう。発表の際には、最初に発表のテーマ（主に○○のことが話し合われました）を簡潔に言い、その後に具体的な内容（例えば、△△のときには…）を話すと要点を聞き取りやすくなります。冗長にならないように留意して報告しましょう。

◎まとめ

　演習を取りまとめる際、全体に向けての報告の時間のもち方を考えます。全グループが報告することが望ましいですが、時間に合わせて報告してもらうグループ数を決めましょう。報告するグループを選択する場合は、話し合いの時間でどのグループがどのような話し合いをしたのかをおおまかに把握しておくことが必要です。報告は1グループ3〜5分程度で短く行うよう伝えます。

　グループからの報告を受けた後、まとめを伝えます。ポイントは個々人の演習と同様です。しかし、複数での話し合いの場合、各グループで模造紙等を使いながら話し合いを進める演習もあります。その際には、それらをホワイトボードに貼り、そこにコメントを書き入れるなど、演習の方法によっては視覚化することも考えておきましょう。

📚 さまざまな演習形態

　ここでは、保育現場でよく実践されている園内研修について、その概要を紹介します。園内研修では、話し合いの目的によって、形態を考えます。各自の考えを広く伝え合うことを目的とする場合、自身の保育の枠組みを問い直す場合、意見をまとめて結論を導き出す場合、など、そのときの園内研修で何を主な目的とするのか事前に設定しておきましょう。

　以下は、グループ等で進める際に参考となるいくつかの例示です。実際には、ここであげられたものにとどまらず、多様な方法があり、講師によって、同じ演習内容でもいろいろな創意工夫があってもいいものです。このことを念頭においたうえで、実際の参考としてください。

◎付箋を使った研修

①KJ法

　KJ法は、集団でアイデアを創出する発想法の一つです（川喜田、1967）。まずは、模造紙、付箋、マジックを準備します。そして、①カードの作成、②グループ編成、③図解化の手順で進めます。まず、各自がそのテーマに関して思いつくアイデアを一つにつき一つの付箋にすべて書き出します。次に、数多くのカードのなかから似通ったものをいくつかのグループにまとめ、それぞれのグループに見出しをつけます。最後に、すべての付箋を概観して類似の意味のもの同士をグループ化し、グループ同士の関係性を図解化します。その図を見ながら、話し合いの結果を全員で確認します。

　KJ法は、付箋に書き出すという作業を通して話し合いにつなげることにより、全員の意見を反映し、集約できることが最大の利点といえます。

②園内マップの活用

　園内マップの活用では、まず園内の図面を大きめの模造紙に印刷します。次に参加者が付箋を貼りながら話し合いをして保育環境の見直しをします。話し合いのテーマを「遊び」にした場合、各自が園内の図面上にその場所で誰がどのような遊びをしていたかを付箋に書いて貼っていきます。その際、クラスで付箋の色を分けておくと、どのような環境でどのクラスの子どもがどのような遊びをしていたかがわかります。そうして園内での遊びを俯瞰した後、保育環境の見直しを

話し合います。同様に、「安全」をテーマにするなど、保育環境について全員で見直しがしたい場合に役立つ方法です。

◎写真を使った研修

①ドキュメンテーション

レッジョ・エミリア・アプローチによって広く知られるドキュメンテーションは、子どもの活動や表現に至るプロセスを可視化するために写真等を用いた記録を指します。保育士等はデジタルカメラを使用して、日々の子どもたちの活動を写真に撮ります。その写真を印刷してコメントを添え、子どもや保護者が見られるように掲示し、対話のきっかけにします。

その記録を園内の話し合いに活用します（請川ら、2016）。まず、ドキュメンテーションの作成者が、撮影した写真について、その子どもや遊びなどに対する読み取りを説明します。その後、ほかの保育士等がその読み取りに関する考えや印象に残った場面について、気づいたことや考えたことを話し合います。その際、掲示したドキュメンテーションをきっかけに子どもや保護者と対話した内容を含めるなど、多様な視点から子ども理解や遊び理解を考えるとより深まるでしょう。

②PEMQ（写真評価法）

PEMQ（Photo Evaluation Method of Quality）は、写真を用いた保育環境の改善に関する研修方法の一つです（秋田ほか、2016）。手順は、「保育室の環境でいいなと感じたものを写真に撮る」「空き時間を利用し、3～4人のグループでその写真がなぜよかったのか、何が学べるかを話し合う」というものです。

PEMQ は、時間がないなかでも行えること、写真により物理的な配置や雰囲気などが伝わりやすいこと、撮影者が気づかなかった観点を見出せることなどの利点があります。

◎映像を使った研修

○日本版 SICS（子どもの経験から振り返る保育プロセス）

SICS は、子どもの安心度（well-being）と夢中度（involvement）の二つの側面から保育の質を自己評価して、改善を図ろうとする方法です。日本版 SICS では、下記の三つの段階を経て保育の質の改善に取り組む園内研修が行われています（秋田ほか、2010）。

まず、一定時間の保育場面の映像を視聴し、観察者のエピソードの説明と5段階でつけた安心度、夢中度の評定とその理由を聞きます。次に、安心度と夢中度が高かった、もしくは低かった理由について、「豊かな環境」「集団の雰囲気」「自発性の発揮」「保育活動の運営」「大人のかかわり」の五つの観点から分析します。最後に、保育全体のチェックとして、「豊かな環境」「子どもの主体性―自由と参加―」「支援の方法―保育者の感性とかかわり―」「クラスの雰囲気―集団内の心地よさ―」「園・クラスの運営」「家庭との連携」の六つの視点、64 のチェック項目を点検し、具体的に改善する事項を決定します。

SICS を使った園内研修では、ほかの保育士等が子どもや保育を評定する際の基準や理由がわかり、保育全体の視点から改善を行うことができます。

◎記録を使った研修

①エピソード記述

エピソード記述は、「出来事を外側から眺めて客観的に描く」という従来の保育記録とは異なります。単に出来事のあらましを描くのではなく、保育士等の目や身体を通して得た経験を保育士等の思いをからめて描きます（鯨岡、2005）。

園内研修では、「背景」「エピソード」「考察」の三つから構成されたエピソード記述を使用します。手順としては、「保育実践」「エピソード記述の作成」「カンファレンス」「エピソード記述の書き直し」「保育実践」という循環で行います。エピソード記述は、保育士等自身の経験を描くため、保育士等の子ども理解の枠組みが意識化されやすいという特徴があります。また、カンファレンスの後にエピソード記述を書き直すことで、子ども理解の枠組みの変容を意味づけることが可能であるとされています（岡花ら、2008）。目的に応じて最初に役割を決めるのか、最初は皆が自由に話してから決めていくのかも、講師がねらいや状況をみて判断しましょう。

②ウェブ型記録

ウェブ型記録とは、子どもの興味の広がりを蜘蛛の巣状に表す記録のことです。妹尾（2016）は、次の手順でウェブ型記録の作成と園内研修を進めています。

ウェブの中心に、その時点で子どもが興味をもっている内容（トピック）を記入し、そこからつながりがある内容を線で結びます。さらに今後、興味がどう広がるかを予測して記入しながら、事前に用意したい環境（素材など）や道具、保育士等の言葉かけなどを検討します。そして、実際の生活や遊びを通して子どもの興味が広がったり変化したりするたびに、ウェブに赤色で記入していきます。

このように話し合いを進めるなかで、子どもの興味を中心にした保育を考えることができます。活動の展開が保育士等の予測通りだった場合には、保育士等のはたらきかけが強すぎたのではないかと反省材料にもして再び話し合います。

③パターンランゲージ

パターンランゲージとは、成功している事例やその道の熟練者に繰り返しみられる共通「パターン」を抽出し、抽象化を経て言語（ランゲージ）化して、よい実践の秘訣を共有するための方法です。

井庭ら（2019）は、園づくりにおけるミドルリーダーの秘訣を27個の「ことば」にまとめ、そのことばを用いた研修の方法を提示しています。例えば、一つの「ことば」について、参加者の経験談を気軽に語り合うことや、その「ことば」に向かう園づくりのアイデアを園内の保育士等で話し合うことが考えられます。

◎その他

①ロールプレイ（役割演技）

ロールプレイは、一つの状況を設定し、メンバーに別の人を演じてもらうことによって、その人の立場になって物事を考えることを促します。子どもや保護者への対応、あるいは園内での同僚との関係を見直す際に有効と考えられます。

進め方としては、最初に各自に役柄カードを配布し、自分の役割を確認します。次に、役柄カードに沿って、その役柄を演じ、意見を言います。そして、各登場人物はどのような考えだったのか、参加者全員で話し合います。最後に、解決策について、全員で話し合います。

　ロールプレイは、何かの課題に対して、他者の立場からの見方を実感し、別の視点から改善を目指すことができます。

②ワールド・カフェ

　ワールド・カフェとは、カフェのようなリラックスした雰囲気のなかで、少人数に分かれたテーブルで自由な対話を行い、ほかのテーブルとメンバーをシャッフルして対話を続けることにより、参加した全員の意見や知識を共有することができる方法の一つです。手順は、①グループ構成とホスト役の決定、②話し合いの循環、③全体での共有、です。

　まず、参加人数を均等割りにしてグループをつくります。そして各グループで1人、ホスト役を決定します。次に、話し合いのテーマについて、各グループで一定時間話し合います。その後、ホストだけを残してほかのメンバーは別のテーブルに移動します。その新しいグループのなかで、残っていたホストが自分のグループで話し合われた内容を説明し、移動してきたメンバーも自分のグループで話し合われた内容を紹介し、つながりを考えます。その後、移動したメンバーが再び元のグループに戻り、各自得たアイデアを紹介し合いながら、再度話し合いを行います。最後に、各グループでの話し合いの後、ホストが中心になって全体でのアイデアの共有を行います。

　ワールド・カフェは、幅広い問いが設定できることが利点です。そのため、これまでの思い込みを気づかせるようなもの、発想を促すもの、自分のこととして考えられるようなものを提示することで、広い観点からの議論が期待できます。

＜参考文献＞

秋田喜代美・湘北福祉会あゆのこ保育園『秋田喜代美の写真で語る保育の環境づくり——やってみませんか、写真でとらえる、写真でかたる、写真とともにつたえる、子どもと環境についての園内研修』ひかりのくに、2016年

川喜田二郎『発想法——創造性開発のために』中央公論社、1967年

鯨岡峻『エピソード記述入門』東京大学出版会、2005年

中坪史典「園内研修における質的アプローチの活用可能性——KJ法とTEMに着目して」『広島大学大学院教育学研究科紀要第三部』第64号、129～136頁、2015年

岡花祈一郎・杉村伸一郎・財満由美子・松本信吾・林よし恵・上松由美子・落合さゆり・山元隆春「「エピソード記述」による保育実践の省察——保育の質を高めるための実践記録と保育カンファレンスの検討」『広島大学学部・附属学校共同研究紀要』第37号、229～237頁、2008年

秋田喜代美・芦田宏・鈴木正敏・門田理世・野口隆子・箕輪潤子・淀川裕美・小田豊、「保育プロセスの質」研究プロジェクト作成『子どもの経験から振り返る保育プロセス 明日のより良い保育のために』幼児教育映像制作委員会、2010年

請川滋大・高橋健介・相馬靖明編著『保育におけるドキュメンテーションの活用』ななみ書房、2016年

妹尾正教「園としての哲学を共有し保育者間の対話を促して園全体で育ち合う風土をつくる」『これからの幼児保育』2016年度夏号、2016年

井庭崇・秋田喜代美編著『園づくりのことば——保育をつなぐミドルリーダーの秘訣』丸善出版、2019年

より深い学びに向けて

📚 書籍など

汐見稔幸編著『ここが変わった！　平成29年告示保育所保育指針まるわかりガイド』チャイルド本社、2017年

汐見稔幸監『保育所保育指針ハンドブック』学研教育みらい、2017年

無藤隆監『幼保連携型認定こども園教育・保育要領ハンドブック』学研教育みらい、2017年

吉田伊津美・砂上史子・松嵜洋子編著『乳幼児教育・保育シリーズ　保育内容　健康』光生館、2018年

厚生労働省編『保育所保育指針解説　平成30年3月』フレーベル館、2018年

日本保育協会監『現場に活かす　保育所保育指針実践ガイドブック』中央法規出版、2018年

海老澤元宏監、今井孝成・高松伸枝・林典子編『新版 食物アレルギーの栄養指導——食物アレルギーの栄養食事指導の手引き2017準拠』医歯薬出版、2018年

日本小児アレルギー学会『患者さん向け小児ぜん息治療ガイドライン』
https://www.jspaci.jp/gcontents/childhood-asthma-guideline/

🖱 情報サイト

●厚生労働省

保育所保育指針や保育にかかわる各種ガイドライン等が掲載されている。

https://www.mhlw.go.jp/stf/seisakunitsuite/bunya/kodomo/kodomo_kosodate/hoiku/index.html

国のアレルギー疾患対策、専門医情報や最新治療ガイドライン情報などを確認できる。

https://www.mhlw.go.jp/stf/seisakunitsuite/bunya/kenkou_iryou/kenkou/ryumachi/

●アレルギーポータル

アレルギーに関するさまざまな情報を集めたポータルサイト。アレルギーの症状や治療方法、相談できる専門医の情報が網羅されている。

https://allergyportal.jp/

●消費者庁

食品の安全や表示に関する情報が確認できる。

https://www.caa.go.jp/

●東京都福祉保健局アレルギー情報 navi

さまざまなアレルギー情報をまとめて閲覧したり東京都が作成した資料をダウンロードできる。

https://www.fukushihoken.metro.tokyo.jp/allergy/

●環境再生保全機構「ぜん息などの情報館」

　喘息を中心に食物アレルギーやアトピー性皮膚炎に関するアレルギー講演会情報・資料などを紹介している。e-ラーニング学習支援ツールを公開しており、関連資料は無償でダウンロードできたり、郵送してもらえたりする。

https://www.erca.go.jp/yobou/zensoku/

●ヴィアトリス製薬（エピペン®）

　アドレナリン自己注射薬「エピペン®」の使用方法、アナフィラキシーについての正しい情報を提供している。

https://www.epipen.jp/

●文部科学省「アレルギー疾患対応資料（DVD）映像資料及び研修資料」

　学校におけるアレルギー疾患対応について動画などで説明している。

https://www.mext.go.jp/a_menu/kenko/hoken/1355828.htm

受講の記録

氏　名		所　属	

受講年月日	年　　　　月　　　　日　～　　　　年　　　　月　　　　日

研修会名

◎**受講した内容にチェックを入れましょう。**

□ 栄養に関する基礎知識

□ 食育計画の作成と活用

□ アレルギー疾患の理解

□ 保育所における食事の提供ガイドライン

□ 保育所におけるアレルギー対応ガイドライン

今後、ミドルリーダーとして保育所で活かしたいこと（園内研修で取り上げてみたいことなど）

✎ 監修・編集・執筆者一覧

監修

秋田喜代美（あきた きよみ）

　　学習院大学教授・東京大学名誉教授

馬場耕一郎（ばば こういちろう）

　　社会福祉法人友愛福祉会理事長・元厚生労働省保育指導専門官

編集

今井孝成（いまい たかのり）

　　昭和大学医学部小児科学講座教授

堤ちはる（つつみ ちはる）

　　相模女子大学教授

執筆者（執筆順）

安部眞佐子（あべ まさこ）……………………… 第1章

　　大分県立看護科学大学准教授

太田百合子（おおた ゆりこ）…………………… 第2章

　　東洋大学非常勤講師

堤ちはる（つつみ ちはる）……………………… 第3章

　　（前掲）

手塚純一郎（てづか じゅんいちろう）………… 第4章第1節

　　福岡市立こども病院アレルギー・呼吸器科科長

福家辰樹（ふくいえ たつき）…………………… 第4章第2節

　　国立成育医療研究センターアレルギーセンター総合アレルギー科医長

今井孝成（いまい たかのり）………………… 第4章第3節、第5章

　　（前掲）

保育士等キャリアアップ研修テキスト4

食育・アレルギー対応　第3版

2018 年 5 月 20 日　初　版　発　行
2020 年 6 月 10 日　第 2 版 発　行
2022 年 5 月 20 日　第 3 版 発　行
2023 年 11 月 1 日　第 3 版第 2 刷発行

監　修	秋田喜代美・馬場耕一郎
編　集	今井孝成・堤ちはる
発行者	荘村明彦
発行所	中央法規出版株式会社

〒 110-0016　東京都台東区台東 3-29-1　中央法規ビル
Tel　03 (6387) 3196
https://www.chuohoki.co.jp/

印刷・製本	株式会社太洋社
装幀・本文デザイン	株式会社ジャパンマテリアル
カバーイラスト	株式会社レバーン　味藤　渚

定価はカバーに表示してあります。
ISBN978-4-8058-8717-2

本書の内容に関するご質問については、下記 URL から「お問い合わせフォーム」にご入力いただきますようお願いいたします。
https://www.chuohoki.co.jp/contact/